I GIGLI DELL'ARTE

Archivi di arte antica e moderna

*Collana a cura
di Pietro C. Marani*

ISBN 88-7737-108-0

Redazione: Rossella Foggi
Grafica: Luciano Arcaleni
Fotocomposizione: Tassinari
Fotoliti: Alfacolor, Chiaroscuro
Stampa: Tipostampa

Anna Padoa Rizzo

PAOLO UCCELLO

Catalogo completo dei dipinti

CANTINI

SOMMARIO

Referenze fotografiche

Antonio Quattrone, Firenze; SBAS, Firenze; Scala, Antella; The Bridgeman Art Library, Londra; SBAS, Urbino; Staatlichen Kunsthalle, Karlsruhe; The National Gallery of Ireland, Dublino; The Ashmolean Museum, Oxford; Fondazione Thyssen-Bornemisza, Lugano.

INTRODUZIONE

L'"ingegno sofistico e sottile" (Vasari 1568) di Paolo Uccello è stato causa di incomprensioni verso di lui già da parte dei contemporanei e delle generazioni immediatamente successive, pur nel rispetto e nella valutazione grande delle sue doti intellettuali: la *Vita* che gli dedica il Vasari è tutta intessuta di giudizi contraddittori, che mettono in risalto il suo disagio di fronte alla produzione del pittore, di cui non riesce ad afferrare il linguaggio significante. D'altronde, la sua pittura 'cifrata' sembra non aver trovato comprensione neppure in Donatello, amico sincero di Paolo Uccello a detta del Vasari, che ne riporta però giudizi non molto lusinghieri sulla sua arte: se consideriamo il profondo legame con la cultura antica, letteraria e figurativa, e il tono appassionato e drammatico, profondamente umano e coinvolgente, della plastica donatelliana, difficilmente potremmo aspettarci piena comprensione per la pittura intellettualistica e geometrizzante, allucinata e irreale, astratta dal 'naturale' fino all'assurdo o al metafisico, che Paolo Uccello ha spesso perseguito almeno a partire dalla seconda metà del quarto decennio del XV secolo.

Questa 'singolarità', che lo ha reso spesso così difficile anche per i suoi contemporanei, trova d'altronde conferma nel limitato seguito che Paolo Uccello ha avuto tra gli artisti del suo tempo, rimanendo sempre in qualche modo isolato, senza suscitare in patria una vera e propria 'scuola', malgrado la lunga attività, e la destinazione illustre di molte delle sue opere, ciò che indica peraltro l'apprezzamento di committenti importanti e colti.

La 'difficoltà' di Paolo Uccello è stata avvertita anche dagli storici moderni (cfr. Parronchi 1974, pp. 2-7) ed è stata la causa di giudizi critici contrastanti, sia per quanto riguarda il significato e la portata storica del suo lavoro, sia per quanto riguarda la sistemazione del suo catalogo, per altro non molto esteso, e la cronologia di esso.

Malgrado la molta e pregnante bibliografia relativa a Paolo Uccello, non pochi problemi sul suo percorso artistico restano ancora da chiarire: problemi fondamentali, come quello della sua formazione e della sua prima attività, in relazione alla cronologia di opere pervenute ma non datate; ed ancora quello relativo all'autografia o meno di interi gruppi di dipinti, di volta in volta dagli studiosi stralciati o riassorbiti nel suo 'corpus'.

Si è voluto in questa occasione riprendere in mano l'argomento, cercando prima di tutto di mettere ordine nelle conoscenze che abbiamo sul pittore, ricontrollando documenti già pubblicati o segnalati (spesso in modo incompleto o inesatto, come nel caso delle 'portate' al Catasto) ed estendendo l'indagine storica e archivistica, in modo da poter chiarire al massimo quelle circostanze della vita di Paolo Uccello che possano risultare indissolubilmente intrecciate con i problemi della sua attività.

Qualche risultato si è potuto acquisire, che ha permesso di proporre un catalogo e una cronologia il più possibile basato su elementi storici: con ciò siamo ben consci che l'arduo argomento rimane ancora punteggiato da molti interrogativi e suscettibile di ulteriori chiarificazioni, che gli studi, procedendo, potranno apportare.

Nella 'portata' al Catasto del 1427 (ASF, Catasto, vol. 55, San Giovanni, Drago, c. 707; ASF, Catasto, vol. 79, San Giovanni, Drago, c. 539v), compilata per lui che "andossi chon Dio più di II anni fa ed è a Vinegia" dal suo parente e procuratore Deo di Deo Beccuti, Paolo è detto di "anni 30", e quindi risulta nato nel 1397. Suo padre, barbiere di Pratovecchio, ricevette la cittadinanza fiorentina nel 1373, quando abitava nel popolo di San Jacopo oltrarno (ASF, Consigli Maggiori, Provvisioni. Registri 1373, c. 109; cfr. Firenze, Fondazione Horne, Spogli, G.VI.1).

Sua madre, Antonia di Giovanni di Castello del Beccuto, apparteneva ad una antica, nobile e ricca famiglia, la cui origine era da Perugia (BNF, Priorista Monaldi, II, 1, 129, *Storia della Nobiltà di Firenze scritta da Piero di Giovanni Monaldi*, circa 1626, c. 287v; cfr. Firenze, Fondazione Horne, Spogli, G.VI.1). I del Beccuto abitavano nei pressi di Santa Maria Maggiore, dove avevano tre cappelle, di cui una, dedicata a San Biagio, fu dotata per testamento da Deo Beccuti nel 1386, secondo che si apprende dalle 'portate' al Catasto del 1427 e del 1430 del di lui figlio Deo di Deo Beccuti, parente e procuratore di Paolo Uccello, sopra ricordato (ASF, Catasto, vol. 79, San Giovanni, Drago, c. 190v; ASF, Catasto, vol. 380, San Giovanni, Drago, cc. 547-552). Ciò non è indifferente, poiché certifica che Paolo, pur rimasto orfano in giovane età, non dovette mai trovarsi in ristrettezze economiche, e sempre beneficiare della protezione della prestigiosa famiglia cui apparteneva sua madre, che certo dovette introdurlo presso importanti committenti fiorentini.

Malgrado la presenza di qualche documento da tempo noto, e gli studi recenti in proposito (Reggioli 1978, pp. 101-104; Beck 1980), il momento e i caratteri dell'apprendistato e della collaborazione di Paolo Uccello col Ghiberti non sono ancora del tutto chiariti, sebbene questo sia un problema di fondamentale importanza per poter svolgere un discorso impostato su basi storiche relativo alla sua prima attività, risalente agli anni intorno al 1414, anno della sua iscrizione alla Compagnia di San Luca (ASF, Accademia del Disegno, n. 1, c.14v; cfr. Beck 1980) e al 1415, anno della immatricolazione all'Arte dei Medici e Speziali, avvenuta in data 15 ottobre senza dover pagare la tassa "beneficio patris matriculati in dicta arte" (ASF, Arte Medici e Speziali, n. 21, Libro Nero delle Matricole del Contado dal 18 gennaio 1408 al 26 febbraio 1444, c. 69, cfr. Frey 1885, p. 362).

Come giustamente fa osservare il Beck (1980) il nome di Paolo Uccello si trova tra quelli dei collaboratori per la porta del Battistero del Ghiberti elencati per il secondo contratto, che fu stipulato nel giugno 1407, anno che costituisce soltanto un termine *post quem*, non essendoci alcun riferimento al momento preciso dell'ingresso dei vari 'garzoni'. La paga di cinque fiorini l'anno che poi doveva aumentare a sette, fa fede della scarsa esperienza e della giovane età del ragazzo: il fatto che il suo nome si ritrovi anche in altro luogo del medesimo elenco, con una paga superiore, di venticinque fiorini l'anno, indica certo il maturarsi della sua esperienza, mentre il computo delle paghe ottenute (venti fiorini e dieci soldi per il primo periodo; trentuno fiorini, un soldo e sette denari per il secondo) fa ritenere di circa tre anni la prima fase di collaborazione e di circa quindici mesi la seconda (Beck 1980).

Differentemente però da quanto ritiene il Beck non credo che il cambiamento di stipendio possa legarsi all'iscrizione di Paolo all'Arte dei Medici e Speziali, che sanciva la sua ormai completa autonomia come maestro: infatti una tale paga sarebbe in questo caso troppo esigua, come è dimostrato dal confronto con quella percepita da Benozzo Gozzoli, ben sessanta e poi settanta fiorini, nel suo contratto col Ghiberti per la porta 'del Paradiso', stipulato nel 1444, quando egli era pittore autonomo da circa due anni.

È possibile dunque che il cambiamento di salario per Paolo sia stato conseguente al maturarsi della sua esperienza di lavoro con gli anni, e che abbia preceduto il suo rendersi autonomo rispetto alla bottega ghibertiana riflesso prima nell'iscrizione alla Compagnia di San Luca (1414) e poi all'Arte (1415) (cfr. anche Nunziati, in *Lorenzo Ghiberti. Materia e Ragionamenti*, 1978, p. 84).

D'altronde, la notevole cultura letterario-scientifica che l'arte di Paolo Uccello mostra, impedisce di ritenere troppo precoce il suo ingresso 'a tempo pieno in una bottega artistica, suggerendo piuttosto un abbastanza esteso curriculum' scolastico (in accordo peraltro con la sua estrazione sociale), fino almeno ai 12 anni, precedente all'inizio del lavoro col Ghiberti, che potremmo indicare dunque al 1409-10 c. anticipando di un poco le conclusioni del Beck. Forse nell'ambito della stessa bottega del Ghiberti, che era stato anche pittore in gioventù come egli stesso testimonia nei suoi *Commentari*, e che certo era in costante rapporto con le più importanti botteghe pittoriche fiorentine del suo tempo (specie con quelle legate alla tradizione gotica, a lui più congeniale) Paolo Uccello apprese, oltre al disegno base di ogni arte ed in cui il Ghiberti eccelleva, l'arte della pittura nelle sue varie tecniche, anche le più difficili e meno frequentemente usate, come il mosaico, di cui era ritenuto specialista nel 1432 (delibera degli Operai di Santa Maria del Fiore di scrivere a Venezia per informazioni su Paolo Uccello, cfr. Poggi 1909, ed. Haines 1988, II, p. 147): certo il Vasari testimonia che "le pitture prime di Paulo furono in fresco, in una nicchia bislunga tirata in prospettiva nello spedale di Lelmo, cioè un Santo Antonio Abate e S. Cosimo e Damiano che lo mettono in mezzo". Si tratta di un'opera perduta, ma difficilmente si può sfuggire alla suggestione di pensare alla analoga "nicchia bislunga" del superstite tabernacolo di Lippi e Macia (cat. 1), che una iscrizione del 1716 dice eseguito da Paolo Uccello nel 1416: in esso i caratteri stilistici, pur difficilmente leggibili a causa dello stato di conservazione del dipinto, indicano un artista di non scarso valore, che si muove in un ambito sostanzialmente tradizionale, ma arricchendo la sua pittura di nuova monumentalità; le belle sinopie emerse dopo lo strappo, in cui i 'pentimenti' indicano un giovanile impaccio e la necessità di successivi aggiustamenti (Procacci 1960, p. 234), hanno una modulata ricchezza di passaggi chiaroscurali, una qualità di segno e tipologie che si accordano con la successiva attività di Paolo Uccello, ad esempio nelle *Storie della Creazione* al Chiostro Verde di Santa Maria Novella (cat. 3).

La vicinanza innegabile tra il tabernacolo di Lippi e Macia e la tavola con la *Madonna col Bambino* della parrocchiale di Pastine in Val d'Elsa (Padoa Rizzo 1990), attribuita al composito gruppo detto 'Pseudo Ambrogio di Baldese' (in parte Ventura di Moro?), fa ritenere possibile un coinvolgimento del giovanissimo Uccello con l'ambiente delle fiorenti botteghe pittoriche del Corso degli Adimari, tanto più che egli stesso nel 1415 abitava proprio nei pressi, poiché nella iscrizione all'Arte è detto "pictor populi sancte Marie nepotumcose".

Come già per il tabernacolo di Lippi e Macia, fino al 1470 appartenente ai Bartoli, legati ai del Beccuto da rapporti di amicizia e di affari (Padoa Rizzo 1990), è probabile che Paolo Uccello sia stato introdotto presso la committenza della chiesa di Santa Maria Maggiore, parrocchia dei del Beccuto, dalla famiglia di sua madre; il Vasari ricorda infatti "una Nunziata in fresco" nella cappella dei Carnesecchi "allato alla porta del fianco che va a S. Giovanni", nella chiesa di Santa Maria Maggiore, da ritenersi perduta, malgrado il tentativo del Parronchi (1974) di identificarla con l'*Annunciazione* ex Goldmann (Washington, National Gallery) di Masolino: i dati che possediamo sulla edificazione della cappella come anche l'attività per essa di Masolino, che ne dipinse il polittico sull'altare, e la descrizione del Vasari, che insiste sulle difficoltà prospettiche esibite da Paolo Uccello nel suo affresco e sulla loro precocità, certificano che l'opera dovette essere eseguita nei primi anni '20, poco precedentemente alla partenza, nel '25, di Masolino per l'Ungheria e di Paolo Uccello per Venezia (Berti 1990), ma anche prima della 'esplosione' della pittura prospettica di Masaccio nella cappella Brancacci e nell'affresco di Santa Maria Novella.

L'attività del quinquennio veneziano (1425-1430) di Paolo Uccello è quasi del tutto oscura, malgrado le molte ipotesi fatte in proposito (per una buona rassegna si veda Tongiorgi Tomasi 1971): l'unica basata su seri elementi storici e documentari è quella del Salmi (1950), che ha identificato il perduto mosaico con la figura di *San Pietro*, di cui si parla nella lettera degli Operai del Duomo di Firenze del 23 marzo 1432, attraverso la fedele riproduzione della facciata del San Marco di Venezia presente nel dipinto con la *Processione in piazza San Marco* di Gentile Bellini (Venezia, Accademia). Il soggiorno Veneziano riveste comunque grande importanza nella carriera di Paolo Uccello, sia perché ne determinò l'assenza da Firenze in un momento cruciale per la storia artistica della città, sia per le possibilità di incontro con una cultura diversa, fascinosa e cosmopolitana, che esso gli offrì.

Non ci sono elementi oggettivi per ritenere precedenti alla partenza di Paolo Uccello per Venezia (*post* 5 agosto 1425, data del suo primo testamento, cfr. Gaye 1839, I, p. 147) gli affreschi della prima campata del Chiostro Verde di Santa Maria Novella, rappresentanti le *Storie della Creazione* (cat. 3); l'ipotesi, suggestiva e autorevolmente sostenuta, di vedere in questo ciclo una sorta di ideale parellelo anche cronologico con la cappella Brancacci del Carmine (Parronchi 1974; Volpe 1980; Berti 1988) deve fare però i conti con la possibilità di credere che entro l'agosto 1425 il Ghiberti avesse già eseguito modelli o disegni per le analoghe storie della sua seconda porta, allogatagli nel gennaio, e Paolo averne preso visione e subito utilizzati nel suo lavoro.

Comunque i ritmi grandiosi e fluenti delle immagini di Paolo Uccello e la sua stessa maniera di concepire il rapporto tra figure e spazio è, in questo lavoro, ancora quello del Ghiberti: non soltanto, però, della porta 'del Paradiso', quanto specialmente delle grandi statue per Orsanmichele, il *San Giovanni*

Battista (1413-16), il *San Matteo* (1420) e il *Santo Stefano* (terminato nel 1429); ma anche la pittura di Masolino, ed in particolare proprio il trittico Carnesecchi di Santa Maria Maggiore (c. 1424-25), si rispecchia in questa grande opera di Paolo, dove non mancano d'altronde accenni d'interesse anche alla nuova cultura prospettica brunelleschiana: si vedano i nimbi in scorcio, gli alberi (notati anche dal Vasari) e le nubi striate nel cielo.

D'altronde su quegli stessi testi, con l'aggiunta di elementi tratti da opere più recenti dell'Angelico e del giovane Lippi, che prendono il posto già occupato da Masolino nel suo interesse, Paolo Uccello continuerà a fondare la propria cultura ancora negli affreschi di Prato, del 1435-36.

Tutto ciò indica la precocità di questo lavoro al Chiostro Verde rispetto al rientro di Paolo da Venezia, che forse non dovette avvenire, in maniera definitiva, prima dell'autunno/inverno del 1432-33, come sembra potersi desumere dalla lettera degli Operai del Duomo (23 marzo 1432-33) in cui chiedono notizie a Venezia sulle capacità del pittore: infatti, se fossero già stati eseguiti da tempo gli importanti affreschi del Chiostro Verde non ci sarebbe stata la necessità di 'referenze'. Una conferma a ciò sembra venire dalla 'portata' al Catasto del 1433 di Paolo Uccello (ASF, Catasto, vol. 475, San Giovanni, Drago, c. 483) in cui si allude ad una sua assenza prolungata e recente: né sarebbe di ostacolo l'autografia della 'portata' al Catasto del 31 gennaio 1430-31 (ASF, Catasto, vol. 381, San Giovanni, Drago, c. 779; vol. 408, c. 466v), poiché è ben pensabile un rientro temporaneo in patria da parte dell'artista, di tanto in tanto.

D'altronde, tra la fine del '35 e la primavera del '36 Paolo Uccello fu a Prato per gli affreschi della cappella dell'Assunta (cat. 4), cui seguì l'importante lavoro per il Duomo (*Monumento a Giovanni Acuto*, 1436, cat. 7); in questo periodo va anche collocato il soggiorno bolognese per l'affresco in San Martino (*ante* 1437, cfr. cat. 8) vicinissimo stilisticamente ai murali di Prato, ma anche all'*Acuto* e non lontano dal lunettone con il *Diluvio* nella quarta campata del Chiostro Verde: proprio a questa assai discontinua presenza a Firenze di Paolo Uccello sarà dovuta l'inserzione di collaboratori (due diversi riteniamo) nell'esecuzione dei lunettoni della seconda e terza campata del Chiostro Verde, e forse anche nei riquadri sottostanti, assai frammentari, ma crediamo basati su disegni e progetti di Paolo stesso.

Nei primi tempi del suo rientro in patria dopo il soggiorno veneziano andrà collocata la lunetta a fresco già nelle case dei del Beccuto (Firenze, Museo di San Marco, cat. 2), vicina stilisticamente alle parti più antiche della decorazione della cappella dell'Assunta nel Duomo di Prato (Parronchi 1974, p. 22) e forse da collegare con gli importanti crediti denunciati dal pittore nei confronti di Deo Beccuti nei catasti del 1431 e del 1433 (Padoa Rizzo 1990): niente di più naturale d'altronde, che egli lavorasse per il ricco parente e già suo procuratore, in attesa di potersi reinserire nella committenza anche pubblica della sua città.

La decorazione a fresco della cappella dell'Assunta del Duomo di Prato, databile con precisione tra l'inverno e la primavera del 1435-36 (cat. 4) rappresenta una tappa molto importante nel percorso e nella maturazione rinascimentale di Paolo Uccello.

Sebbene la lucida impostazione volumetrica e spaziale reperibile nelle sinopie si attenui talvolta nella stesura pittorica delle *Storie* e nelle testine decorative nei bordi che incorniciano le singole scene, provocando discontinuità di tenuta, non è da dubitare della sostanziale autografia del ciclo: la presenza di collaboratori comprensibilmente non ancora, ad una data così precoce, capaci di intendere appieno il linguaggio cifratamente rinascimentale e prospettico del maestro, spiega facilmente questo fenomeno, peraltro frequente nelle opere di vasta dimensione, specialmente ad affresco: d'altronde, secondo una recente ipotesi del Parronchi (1981) Paolo Uccello vi avrebbe apposto la propria firma, sebbene in maniera criptica, nella iscrizione falsamente ebraica sulle tavolette tenute in mano dal *San Paolo* nel sott'arco d'ingresso.

Ad una data così precoce, questo mondo luminoso e colorato, pieno di brio e di scienza prospettica, ci fa intendere la posizione storica di Paolo Uccello, che non è certo quella di un 'ritardatario', come era parso al Longhi (1952) non avendone inteso la cronologia: egli intesse un dialogo aperto con i maggiori artisti 'moderni' che aveva ritrovato in patria dopo il ritorno da Venezia, *in primis* il Beato Angelico e Filippo Lippi, mentre si pone lui stesso come importante pietra di paragone per Domenico Veneziano da poco giunto a Firenze (si veda, di quest'ultimo, il Tabernacolo Carnesecchi, Londra, National Gallery) e per il più giovane Piero della Francesca, documentato a Firenze, col Veneziano, nel 1439.

L'affresco commemorativo del condottiero John Awkwood (*l'Acuto*) (cat. 7) è la prima opera eseguita da Paolo Uccello per il Duomo fiorentino, nell'estate del 1436, e rientra nel programma di arredamento dell'interno della cattedrale in vista delle celebrazioni relative alla solenne inaugurazione della cupola del Brunelleschi (30 agosto) e alla consacrazione della chiesa da parte di Eugenio IV. Si tratta di una delle più importanti commissioni ottenute dal pittore nella sua lunga carriera: l'ufficialità della composizione e le suggestioni del colto ambiente umanistico con cui Paolo Uccello lavora 'in simbiosi', incidono non poco anche sullo stile del dipinto e sul 'tono' per esso scelto, sia per quanto riguarda il passo di parata del palafreno e la rappresentazione dell'abito e delle armi del condottiero (Boccia 1970), che per il suo stesso ritratto, ad evidenza cavato dalla maschera funebre, secondo una usanza assai diffusa nel XV secolo.

Per gli anni immediatamente successivi abbiamo scarsissime notizie sul pittore: da inediti documenti reperiti da Annamaria Bernacchioni (1988, I, cap. 2) si viene a conoscere una sua (perduta) attività fiorentina nel dicembre 1437, mentre da altri gentilmente segnalatimi da Ludovica Sebregondi si apprende che Paolo Uccello era iscritto alla Compagnia di San Girolamo, alle cui tornate è presente tra il gennaio e l'aprile 1437-38, ma mai in quelle del maggio: forse perché non in città?

La seconda, e definitiva, redazione dell'*Acuto* dovette comunque soddisfare pienamente i committenti, poiché qualche anno più tardi (1443-44) Paolo Uccello ottenne altre importanti e prestigiose commissioni per il Duomo fiorentino: l'*Orologio* (cat. 13) e i disegni per alcune delle vetrate (cat. 12), altre delle quali erano allogate al Ghiberti (suo ex maestro) e ai più importanti artisti del momento. Tra questi lavori, la decorazione dell'*Orologio* ci sembra quello emergente, anche per la valenza simbolica in esso implicita, che avrà trovato particolare riscontro nell'"ingegno sofistico e sottile" di Paolo: nella 'mostra', il rinvio iconografico è alle *imagines clipeatae* della scultura antica, forse attraverso il tramite moderno del Ghiberti, che usa motivi simili nella cornice della porta 'del Paradiso', a quella data ancora in cantiere, ma alla quale Paolo Uccello poteva certamente avere facile accesso. Ugualmente, la maniera asseverativa nella sua semplificazione, e l'uso dello scorcio, rendono assai più esplicita che non nel Ghiberti l'interpretazione analogica della scultura antica, secondo i principi della cultura umanistica fiorentina nell'accezione brunelleschiana, fatta propria da Masaccio e da Donatello, a dire del Vasari amicissimo di Paolo Uccello e talvolta suo critico consigliere, ed ancora presente a Firenze, sebbene in procinto di partire per il lungo soggiorno padovano.

Le qualità di ampiezza di disegno e di ricchezza cromatica evidenti nelle due vetrate superstiti di Paolo Uccello per la tribuna del Duomo (cat. 12) fanno bene intendere il ruolo di caleidoscopico diaframma luminoso tipico della vetrata figurata e colorata. Se poi teniamo conto del fatto che nella sua 'portata' al Catasto del 1457 (ASF, Catasto, vol. 826, San Giovanni, Drago, cc. 56-57) Paolo dichiara di avere dipinto l'anno precedente alcune finestre per il vetraio Bernardo (che aveva bottega anch'egli in piazza San Giovanni come lo stesso Paolo Uccello) rimanendone creditore per 17 fiorini e 14 soldi, si intende come questo tipo di attività dovette essere per lui più ampia e continuativa di quello che resta testimoniato dai documenti dell'Opera del Duomo.

A questa seconda fase di intenso lavoro per la Cattedrale ritengo sia appena precedente l'affrescatura della quarta campata del Chiostro Verde di Santa Maria Novella, con le *Storie di Noè* (cat. 3): tale decorazione è stata messa in relazione, per l'iconografia complessa e altrimenti mal decifrabile, con quell'importantissimo avvenimento storico che per Firenze, e per Santa Maria Novella in particolare, fu il Concilio del 1439, alla fine del quale, svoltosi proprio nei locali del convento domenicano, fu sancita l'unione tra le due Chiese, romana e greca (Wakayama 1982; Marino 1989). Ciò da un lato rende necessario ritenere gli affreschi di questa campata eseguiti subito dopo tale avvenimento, e d'altro canto spiega l'interruzione dei lavori al Chiostro Verde almeno per tutto il periodo del Concilio, tra la fine del 1438 e l'autunno/inverno del 1439, poiché essi ne avrebbero disturbato lo svolgimento.

Questa cronologia è d'altronde perfettamente rispondente ai dati stilistici, mostrando la quarta campata molteplici relazioni con gli affreschi di Prato e col frammento di Bologna, pur nella più avanzata maturazione: anche l'attenzione ritrattistica di alcuni volti, e la caratterizzazione 'giudaica' delle fisionomie maschili e femminili dei familiari di Noè nel *Sacrificio* rientrano nel tipico gusto 'fisiognomico' (Parronchi 1974) degli affreschi di Prato; né a ciò è contrastante l'osservazione comparata dei costumi e dei copricapi esibiti dai personaggi in questo lavoro di Paolo, mentre anche la evidente ripresa, sia per il cromatismo che per la composizione, da parte di Paolo Uccello nello sfondo del *Diluvio* dal tondo in stucco con *San Giovanni a Patmos* di Donatello per la Sacrestia Vecchia di San Lorenzo (appartenente alla prima fase dei lavori) risulta in accordo con la cronologia proposta.

Con queste opere, la fama di Paolo Uccello come pittore, specialmente ad affresco, dovette divenire assai ampia, se non indiscussa per la 'difficoltà' del suo linguaggio artistico e forse anche del suo carattere personale, come traspare dal Vasari: sia dai giudizi espressi che dagli aneddoti narrati, probabilmente tratti da racconti e motteggi circolanti nell'ambiente degli artisti fiorentini.

Certo però tra i suoi estimatori erano i Medici, anzi Cosimo in persona, che con ogni probabilità gli commissionò i tre pannelli con la *Rotta di San Romano* (cat. 9, 10, 11), destinati ad una sala del suo più antico palazzo, per ricordare un avvenimento chiave nella sua ascesa politica: ciò induce a ritenere, come è stato da più parti suggerito con persuasivi argomenti, che le tre opere forse più famose del pittore siano da porre cronologicamente in una fase ancora relativamente precoce (c. 1440), peraltro in perfetto accordo stilistico con i lavori fin qui ricordati.

Il crescere della reputazione di Paolo Uccello nell'ambiente fiorentino è testimoniato dal trasferimento della sua bottega, già in via delle Terme (ASF, Catasto, vol. 625, anno 1442, San Giovanni, Drago, c. 224), ad altra in piazza San Giovanni, per la quale paga "l'anno fiorini quattro et una ocha" (ASF, Catasto, vol. 826, anno 1457, San Giovanni, Drago, cc. 56-57), e dal proseguire dell'attività per gli Operai del Duomo, per i quali esegue (1453) la pittura di una immagine (perduta) del Beato Andrea Corsini "in Libraria", cioè nell'antica chiesa di San Pier Celoro (cfr. Poggi 1933, p. 336).

In questo tempo è documentata la stima di un perduto tabernacolo dipinto da Stefano d'Antonio di Vanni nei pressi di Santa Margherita a Montici, nel 1451 (cfr. Cohn 1959, pp. 66-68): si trattava di un oratorio di Santa Barbara di pertinenza, come "cappellania", del Duomo, fondato dai Della Bordella (cfr. Firenze, Fondazione Horne, Spogli, G.VI.I).

Il soggiorno padovano (c. 1446), propiziato secondo il Vasari da Donatello, per eseguire la serie (perduta) dei *Giganti* in casa Vitaliani, se non dovette essere lungo, dovette però non essere privo di importanza per Paolo stesso, permettendogli un nuovo accostamento, a distanza di anni, a quell'ambiente, ancora in larga misura permeato dall'eleganza profana e attillata del gotico estremo, che aveva conosciuto durante il suo soggiorno a Venezia tra il '25 e il '30, e che ora si evolveva verso volumetrie cristalline ritmate da affilati contorni. Forse a questo contatto si deve la sterzata verso una pittura profilata e tagliente, rivestita di colori vivi e squillanti, quale è quella reperibile specialmente in alcune tavolette a figure piccole datate o databili negli anni intorno alla metà del secolo, come la predella di Avane (Firenze, Museo di San Marco, cat. 16) del 1452, o quella di Quarata (cat. 18), o la *Madonna col Bambino e San Francesco* di Allentown (cat. 17), ma anche negli affreschi del Chiostro di San Miniato (cat. 15) pur nel diverso 'medium': un gusto che rimarrà costante nella produzione più avanzata del maestro, rappresentata per lo più da opere di modesta dimensione, sebbene di destinazione assai illustre, come la predella di Urbino (cat. 19), la *Caccia* di Oxford (cat. 23) e il *Ritratto di Battista Sforza*(?) (ex coll. Lehman, cat. 20), opere tutte probabilmente eseguite per Urbino; il *San Giorgio* Jacquemart André dipinto per Lorenzo di Matteo Morelli (cat. 21), la *Crocifissione* della collezione Thyssen di Lugano (cat. 24) e il *San Giorgio* di Londra (cat. 22), per citare i dipinti più importanti e autografi giunti fino a noi: nella prima di queste opere, malgrado la drammaticità del soggetto e la destinazione di propaganda antisemita in esso scopertamente contenuta, Paolo Uccello risolve la narrazione in un tono trasognato e fiabesco, che si ammanta di colori brillanti stesi ritmicamente su forme depurate in una elegante geometria, che riscatta in una dimensione atemporale e per questo astorica, qualunque implicazione di violenza, allontanandone di conseguenza ogni giudizio morale. In manierà in certo modo analoga, la tavoletta Jacquemart André si pone come una delle opere più intensamente poetiche di Paolo Uccello: il San Giorgio, privo di nimbo, è un elegante cavaliere che combatte per conquistare una tenera principessa adolescente, candidamente impacciata e quasi stupita di assistere a così strani eventi, improbabilmente collocati nell'ordinata campagna fuori le mura di una città, ben riconoscibile come Firenze.

Intanto Paolo, che ancora nel catasto del 1442 risulta privo di famiglia (ASF, Catasto, vol. 625, San Giovanni, Drago, c. 224; mancano i catasti del 1446 e del 1451 per Paolo Uccello), si sposa con Monna Tomasa di Benedetto Malefici, che dal Catasto del 1457 risulta avere 25 anni e avergli dato due figli: Donato, detto di sei anni e quindi presumibilmente nato nel 1451-52, e Antonia, detta di un anno e quattro mesi, che fu battezzata il 13 ottobre 1456 (cfr. BNF, Poligrafo Gargani, 733, c. 87); di essi riparleremo tra poco, poiché sappiamo che furono pittori, anche se non conosciamo nessuna opera sicura dell'uno o dell'altra.

Malgrado le lamentele che si possono leggere nella 'portata' del 1469 (ASF, Catasto, vol. 926, San Giovanni, Drago, c. 259: "truovomi vecchio e sanza inviamento e no[n] posso esercitare e la donna inferma"), la situazione finanziaria di Paolo Uccello risulta buona anche in questo suo ultimo Catasto: possiede la casa in cui abita, in via della Scala, che aveva acquistato anni addietro, e il solito podere nel popolo di Santo Stefano a Ugnano già di sua proprietà nel primo Catasto, ma al quale aveva continuato ad aggiungere nuove preselle; inoltre ha crediti col Monte, e ha con sé, a carico, oltre la moglie, solo il figlio Donato, detto di sedici anni (in realtà ne doveva avere circa diciotto, e già doveva lavorare al suo fianco): la figlia, che aveva poco più di tredici anni, non è ricordata, probabilmente perché già monaca; infine è tassato per nove soldi, che è una somma più che media per un artista - artigiano del suo tempo.

Quello che però può far pensare legittimamente ad una riduzione effettiva del lavoro, è il fatto che non si parli più della bottega: se ne avesse tenuta una, avrebbe dichiarato l'esborso del fitto tra gli 'incarichi' (come aveva fatto nel Catasto del 1442 e in quello del 1457), e probabilmente proprio alla mancanza di una vera e propria bottega si riferisce la frase "truovomi [...] sanza inviamento". Si può pensare dunque che in questo periodo Paolo Uccello lavorasse in casa, e si dedicasse di preferenza a dipinti di non grande dimensione: cosa che sembra confermata dai lavori superstiti riferibili alla sua fase estrema. Quello che si può arguire dai documenti sul restringersi dell'attività di Paolo negli anni tardi, risulta anche dalle fonti, cioè dalla narrazione del Vasari: egli infatti sottolinea la grande applicazione all'arte di Paolo Uccello, e il suo molto disegnare (commentando però che "meglio è nondimeno mettere in opera, poiché hanno maggiore vita l'opere che le carte disegnate") e la sua esagerata passione per i problemi della prospettiva "che sempre lo tenne povero et intenebrato sino alla morte" ed anzi "l'impedirono [...] tanto nelle figure, che poi, invecchiando, sempre le fece peggio".

D'altronde la mancanza della bottega in piazza San Giovanni, già in affitto da parte di Paolo Uccello da "Lorenzo sensale" nel 1457, sembra risultare anche dal Catasto del figlio Donato, del 21 giugno 1480 (ASF, Catasto, vol. 1018, 2ª parte, San Giovanni, Drago, c. 277): egli, pur continuando a possedere la casa di via della Scala e il podere di Ugnano in niente diminuito, dice "riparomi detto Donato a bottega delle rede di Nicholò di Benintendi e non guadagnio denaro", aggiungendo gravi lamentele sullo stato di salute di sua madre, inferma, e sulla difficoltà a gestire la situazione, ma non denunciando esborsi per il fitto della bottega.

In realtà, malgrado le affermazioni del Vasari, neanche dal testamento stilato l'11 novembre 1475 (ASF, Notarile Antecosimiano, ser Pace di Bombello, busta n. 7, c. 147; cfr. Sindona 1957, p. 44) Paolo Uccello risulta povero: lascia infatti legati in denaro, restituisce la dote di duecento fiorini alla moglie, istituendola usufruttuaria delle sue rendite, mentre l'erede universale è il figlio Donato, ormai circa ventiquattrenne e da tempo attivo accanto al padre (cfr. cat. n. 27, 28, 29, 30, 31): Donato morì il 16 luglio 1497, lasciando la figlia Caterina, avuta dal matrimonio con Ginevra di Bernardo Parenti; la Caterina a sua volta sposò Pero di Bartolomeo Baldovinetti, da cui ebbe un figlio, Donato, nel quale passò l'eredità di Paolo Uccello (cfr. Milanesi, in Vasari-Milanesi 1878, II, p. 204, ed anche Firenze, Fondazione Horne, Spogli, G.VII.I).

Si innesta in questo contesto, a nostro parere, il problema rappresentato dal gruppo di dipinti che, nel tempo, la critica ha riunito sotto l'etichetta 'Maestro di Karlsruhe' (cfr. cat. 27): nella convinzione che tale *corpus* non possa ritenersi autografo di Paolo Uccello, e che appartenga ad un tempo situabile non prima del 1470 (ad esso però non crediamo che appartenga la predella di Quarata, cfr. cat. 18), non sembra eludibile il problema del rapporto di esso con l'attività dei figli pittori di Paolo, Donato sopra ricordato, e Antonia, che nel Libro dei Morti di Firenze è detta "pitoressa". In questa direzione di indagine, la proposta del Parronchi (1974) che, con buone argomentazioni, individua nei due figli (e specialmente in Antonia) gli autori di tale gruppo di opere, ci sembra non solo la più motivata, ma anche la più plausibile, pur dovendo avvertire della difficoltà di poter distinguere l'attività ipotetica dei due personaggi.

Ci sembra comunque logico, anche conoscendo la prassi delle botteghe di pittura del '400 fiorentino, e in mancanza di documenti attestanti la presenza di altri collaboratori a fianco di Paolo Uccello nella sua fase tarda (l'unico nome di collaboratore che emerge dai documenti è quello di Antonio di Papi, nel 1455, mentre è attestata la presenza del figlio Donato a Urbino nel 1467-68) ci sembra logico, dicevamo, riferire all'attività autonoma dei due figli quelle opere che, mostrando caratteri derivati da Paolo Uccello, possano datarsi nei suoi ultimi anni di vita e per un decennio almeno dopo la sua morte, ed in cui sia possibile riscontrare un progressivo allontanamento dai suoi schemi, unito ad un progressivo inaridimento di forma e di fantasia (cfr. cat. 28 e 30).

Una larga parte degli studi dedicati a Paolo Uccello riguarda in particolare il suo rapporto con i problemi posti dalle regole della prospettiva, e l'applicazione di essa nelle sue opere: indagini dotte e utili (cfr. specialmente Pope Hennessy 1950; White 1957; Gioseffi 1958; Parronchi 1957 e 1974 con bibliografia), certo legittimate dall'attività stessa di Paolo e dalle parole del Vasari, che insiste molto sull'interesse del pittore in questo settore e sulla fatica in esso spesa: "si affaticò e perse tempo nelle cose di prospettiva [...] non ebbe altro diletto che d'investigare alcune cose di prospettiva difficili e impossibili[...]".

Senza volersi inoltrare nei problemi, complessi e sfuggenti, delle regole prospettiche, che Paolo certo conobbe in tutte le interpretazioni datene, antiche e 'moderne', vorremmo sottolineare come tali problemi vengano da lui risolti di volta in volta nei suoi dipinti, senza peraltro accettare come univoca e immutabile alcuna definizione di esse regole: ne deriva non solo una libertà fantastica che diventa primo fattore di poesia, ma anche l'asserzione di un disancoraggio dalle norme, che gli fu rimproverato, ad esempio, dal Vasari, ma che contribuisce *in primis* a rendere la sua arte per tanti aspetti attuale, interpretando, allora come ora, quel senso di disagio esistenziale che è spesso della condizione umana, non solo moderna.

CATALOGO DELLE OPERE

1.
Tabernacolo di Lippi e Macia

Affreschi distaccati
Firenze, Santa Maria Mater Dei a Lippi

Gli affreschi rappresentano: nella parete di fondo, *Virgo lactans, San Giovanni Battista e San Pietro, due angeli musicanti* e in alto l'*Eterno in una gloria d'angeli.* Nello sguancio sinistro *Sant'Andrea* e al di sotto, a figura intera, *San Lorenzo e San Filippo.* Nello sguancio destro *San Bartolomeo* e al di sotto, a figura intera, *San Jacopo e Santo Stefano.* Nella volta gli *Evangelisti.*
Una iscrizione del 1716, apposta in occasione del restauro curato da due membri della famiglia Lippi che fecero anche costruire la cappella-oratorio a protezione dell'antico tabernacolo, ci informa che esso fu dipinto nel 1416 da Paolo Uccello: "ANNO DNI MCCCCXVI TABERNACULUM A PAULO UCCELLO DEPICTUM DINOTIUS ET LUCAS ALBERT.S DE LIPPIS REST.A.DNI MDCCXVI DIE VIII OCTOB.S".
Come indica il Procacci (1960) l'iscrizione è troppo circostanziata per essere frutto di invenzione, tanto più che all'inizio del XVIII secolo è impensabile un falso di tale tipo nei confronti di Paolo Uccello.
Si deve quindi pensare o che essa riassuma una iscrizione perduta, probabilmente posta in basso, nella parte più danneggiata del tabernacolo, ancora leggibile al tempo del restauro settecentesco, oppure si basi su notizie di famiglia: quest'ultima ipotesi però ci sembra meno probabile, poiché i Lippi acquistarono la villa cui il tabernacolo apparteneva solo nel 1470 dalla famiglia Bartoli (Carocci 1906-7, I, p. 231; Guarnieri 1987, p. 136). Il Parronchi (1974) e la Reggioli (1978, pp. 101-103) raccolgono l'indicazione del Procacci, ritenendo almeno in parte autografo di Paolo Uccello il tabernacolo, di cui sottolineano la bellezza delle sinopie e la monumentalità di alcune figure. Di parere diverso sono altri studiosi (specialmente Boskovits 1975, pp. 417-19 e Bellosi 1973; cfr. Reggioli 1978) che ritengono il tabernacolo databile sullo scorcio del XIV secolo o all'aprirsi del XV, considerandolo opera del Maestro di Santa Verdiana o di Pietro Nelli.
Certamente il tabernacolo ha, nell'impianto, una impronta tradizionale, che mostra l'artista calato nella cultura fiorentina di tradizione classicista e neogiottesca, ma con una aggiunta di monumentalità e di ariosità spaziosa, che non trova riscontri precisi, a nostro parere, che nella tavola cuspidata con la *Madonna col Bambino benedicente* della chiesa di San Martino a Pastine (Firenze, Santo Stefano al Ponte), facente parte del gruppo detto 'Pseudo Ambrogio di Baldese': un gruppo quest'ultimo troppo vasto, in cui si possono distinguere diverse personalità e nel quale la tavola di Pastine rimane un apice anche dal punto di vista qualitativo.
La *Madonna* di Pastine presenta analogie importanti anche con le bellissime sinopie dei laterali del tabernacolo di Lippi e Macia, per la dolcezza del tratto e il chiaroscuro soffuso, presente anche nell'affresco che però ha molto sofferto per l'azione del tempo e i restauri antichi. Da notare poi come nel tabernacolo in questione il San Giovanni Battista esibisca un rotulo con l'iscrizione "ECCE AGNUS DEI" in bella grafia

Virgo lactans, San Giovanni Battista e San Pietro, due angeli musicanti e l'Eterno.

Tabernacolo di Lippi e Macia: San Lorenzo e San Filippo.

Tabernacolo di Lippi e Macia: San Jacopo e Santo Stefano.

umanistica, ciò che esclude possa trattarsi del lavoro di un artista come Pietro Nelli, che usa sempre i caratteri gotici, e può invece confermare, insieme alla data 1416, il riferimento ad un giovane pittore di notevole personalità, formatosi nella cerchia del Ghiberti, quale era Paolo Uccello a quel tempo.

Nella stessa direzione porta il confronto tra la sinopia della Vergine nel tabernacolo di Lippi e Macia e la sinopia, ad esempio, del Padre Eterno nella *Creazione degli animali* al Chiostro Verde di Santa Maria Novella, opera di Paolo Uccello attestata da tutte le fonti: il tratto è assolutamente il medesimo, come d'altronde risulta strettamente analogo, negli affreschi dei due complessi, anche il grandeggiare delle forme dal profilo sintetico, e persino la tipologia dei volti, specie se si prende a confronto, per il Chiostro Verde, la scena del *Peccato originale*. Tenendo conto che gli affreschi di Santa Maria Novella sono le opere più antiche, tra quelle sicure, pervenuteci di Paolo Uccello (peraltro, a nostro parere, non precedenti al rientro del pittore da Venezia, quindi *post* 1430-31), e che non conosciamo niente che possa testimoniare della sua arte nei quindici anni precedenti (egli è iscritto all'Arte dei Medici e Speziali nel 1415 e già nel 1414 alla Compagnia di San Luca) ci sembra che la testimonianza offerta dalla iscrizione sul tabernacolo di Lippi e Macia si riveli fondamentale per la ricostruzione degli esordi del pittore nella cultura figurativa fiorentina della metà del secondo decennio del Quattrocento.

Dal tabernacolo di Lippi e Macia dipende quello, di iconografia simile (Guarnieri 1987, p. 140) detto della *Madonna del Terrazzo*, collocato, dopo lo stacco, nella chiesa di San Biagio a Petriolo: tutti e due ripetono comunque una iconografia tradizionale fin nei dettagli, come indica il confronto con la frammentaria *Virgo lactans* del Museo di Santa Croce, proveniente dall'interno della stessa chiesa francescana: forse prototipo illustre cui i committenti desideravano che ci si attenesse?

Tabernacolo di Lippi e Macia: sinopia della testa della Vergine; sinopia dei Santi Jacopo e Stefano.

Tabernacolo di Lippi e Macia: volta con gli Evangelisti.

2.

Madonna col Bambino

Affresco centinato, distaccato, cm 90 x 102
Firenze, Museo di San Marco

Malgrado il cattivo stato di conservazione, il dipinto riveste notevole importanza. Proviene infatti dalle case dei del Beccuto, famiglia della madre di Paolo Uccello, ubicate nei pressi di Santa Maria Maggiore, chiesa nella quale avevano cappelle, come si ricava dalle 'portate' al Catasto di Deo Beccuti (ASF, Catasto, vol. 79, anno 1427, San Giovanni, Drago, c. 190v) procuratore di Paolo Uccello durante il soggiorno a Venezia, e del di lui figlio Felice (ASF, Catasto, vol. 680, anno 1446, San Giovanni, Drago, c. 861)

L'affresco fu pubblicato, con la corretta ed importante attribuzione a Paolo Uccello, dal Parronchi (1968 e 1974), confermata dal Volpe (1980). Giustamente il Parronchi indica le precise tangenze con il *San Paolo* nel sottarco della cappella dell'Assunta nel Duomo di Prato (ma anche con le *Virtù* della volta, per il panneggio svolazzante ma geometrizzato della veste del Bambino). Nella lunetta in questione, ad una fase precedente gli affreschi pratesi, ma che tocca comunque il primo tempo dopo il rientro a Firenze da Venezia del pittore, ci riportano, a nostro parere, anche le tangenze con i più antichi affreschi del Chiostro Verde, nonché una qualche eco, nei complessi panneggi, del più sontuoso gotico cortese che Paolo poteva aver conosciuto a Venezia attraverso l'opera di Michele Giambono (cfr. *Madonna col Bambino*, Venezia, Ca' d'Oro, c. 1430), ma con un evidente impegno verso la geometrizzazione, e quindi verso la razionalizzazione. Da notare che nella 'portata' al Catasto del 31 gennaio 1430-31 (ASF, Catasto, vol. 381, San Giovanni, Drago, c. 779) e in quella del 31 gennaio 1433-34 (ASF, Catasto, vol. 475, San Giovanni, Drago, c. 483) Paolo Uccello dichiara dei crediti nei confronti di Deo Beccuti (riscontrabili anche nelle 'portate' di quest'ultimo) ammontanti a poco più di 36 lire nel primo caso e a ben 85 fiorini nel secondo: crediti non dichiarati nel Catasto del 1427, e forse da mettersi in connessione con questa ed altre opere di ornamento della casa del parente (Padoa Rizzo 1990).

28

3.
Storie della Genesi; la Creazione; le Storie di Noè

Affreschi distaccati
Firenze, Santa Maria Novella, Chiostro Verde, lato est, 1ᵃ, 2ᵃ, 3ᵃ, 4ᵃ
campata

Le vicende della decorazione del Chiostro Verde di Santa Maria Novella
costituiscono uno dei problemi più dibattuti della storia della pittura
fiorentina del XV secolo, e finora non chiariti.
Come è noto (Procacci 1960; Lunardi 1983), la decorazione fu eseguita
con molto ritardo, in seguito ad un lascito testamentario di Turino di
Baldese (1348), che prevedeva l'affrescatura di *Storie dell'Antico
Testamento*. Nessun documento può legarsi al ciclo di affreschi in
questione, così che attribuzioni e datazioni possano farsi solo in base a
notizie tratte dalle fonti e a considerazioni di ordine storico e stilistico.
Per quello che riguarda le attribuzioni, le fonti, in parte contemporanee,
assegnano a Paolo Uccello gli affreschi della 1ᵃ e della 4ᵃ campata; il
Vasari però precisa ancora di più, sia riguardo al riferimento a Dello Delli
della *Storia di Isacco ed Esaù*, sia riguardo a Paolo Uccello, cui assegna la
"Creazione degli animali", la "creazione dell'uomo e della femina, et il
peccar loro", e poi il "diluvio con l'Arca di Noè" e "l'inebriazione di Noè";
si è però troppo trascurato il fatto, importante, che il Vasari parla anche
con chiarezza di altri affreschi di Paolo Uccello: "lavorò nel medesimo
chiostro sotto due storie di mano d'altri". Si riferisce certo agli affreschi
nei riquadri sotto i lunettoni della 2ᵃ e 3ᵃ campata, poiché tali lavori
vengono citati dal Vasari dopo le *Storie della Creazione e del Peccato*, e
prima del *Diluvio*. Questi due riquadri ci sono pervenuti assai
frammentari (specialmente quello della 2ᵃ campata, quasi cancellato); per
quello che riguarda la 3ᵃ campata, vi si scorge una solennità e ampiezza
di costruzione che accomuna questa frammentaria *Storia* agli altri
affreschi attribuiti dalle fonti e poi da tutta la critica (ad eccezione di
Angelini, in Bellosi 1990, pp. 75-77) a Paolo Uccello (1ᵃ e 4ᵃ campata),
distinguendola nettamente dal lunettone che la sovrasta, e che il Vasari
con molta chiarezza dice dipinto da altri.
La 2ᵃ campata è più omogenea, ed anche il lunettone con la *Cacciata
dall'Eden e il lavoro dei Progenitori* mostra identità di sistemazione
spaziale e di realizzazione dell'ambiente con la 1ᵃ campata, differendo
solo nella realizzazione delle figure e della cornicetta di divisione in
basso, dotata di minore sicurezza spaziale (Salmi 1934 e 1936): si tratterà
qui dell'intervento di uno stretto collaboratore di Paolo Uccello.
Per quello che riguarda la cronologia, si possono individuare due
fondamentali opinioni in cui sono orientati i più importanti studiosi
riguardo agli affreschi della 1ᵃ campata: alcuni li ritengono eseguiti dopo
il ritorno di Paolo Uccello da Venezia, nel 1431 (Pudelko 1934; Salmi
1936; Pope Hennessy 1969 con bibl.), altri prima della partenza
nell'agosto 1425 (Horne 1905; Parronchi 1974; Volpe 1980; Wakayama
1982; Berti 1988). Tutti sono comunque d'accordo che la 4ᵃ campata,
quella col *Diluvio* e le *Storie di Noè*, sia stata eseguita dopo un certo
intervallo di tempo, più o meno esteso a seconda delle varie

Creazione degli animali, particolare.

Creazione degli animali e creazione di Adamo.

Creazione di Eva e peccato originale.

La cacciata dall'Eden e il lavoro dei progenitori.

interpretazioni, ma sempre in una fase non lontana dal 1446, anno in cui
è documentato presente a Firenze Dello Delli, il cui ritratto secondo il
Vasari è ravvisabile nella figura di Cam della scena con la *Ubriachezza di
Noè*.
Secondo il nostro parere (cfr. *Introduzione*), gli affreschi della parete est
del Chiostro Verde sono da considerarsi iniziati da Paolo Uccello dopo il
ritorno da Venezia (*post* 1431) (1ª campata) e portati avanti (2ª e 3ª
campata) negli anni successivi con larga collaborazione di aiuti in fase
esecutiva. Dopo una interruzione dovuta alla presenza, nei locali del
convento, del Concilio per la riunificazione delle Chiese romana e greca
(1438-39) si dovrà porre la realizzazione della 4ª campata, con il *Diluvio*
e le *Storie di Noè*, per ragioni di iconologia (Wakayama 1982; Marino
1989) e di stile.
Per una lettura iconografica dei dipinti del Chiostro Verde si veda
recentemente Lunardi 1983, pp. 31-65.

Storia di Lamech; Entrata nell'arca.

Diluvio e recessione delle acque.

Sacrificio ed ebbrezza di Noè.

Diluvio e recessione delle acque, particolare.

Sacrificio ed ebbrezza di Noè, particolare.

Creazione degli animali e creazione di Adamo; Creazione di Eva e peccato originale, sinopie,
Firenze, Museo di Santa Maria Novella.

4.
Storie della Vergine; Storie di Santo Stefano; Santi; Virtù

Affreschi
Volta: *Le Virtù;* sott'arco d'ingresso: *Santi Francesco, Domenico, Paolo,*
Girolamo; parete sinistra: *Storie di Santo Stefano;* parete destra: *Storie*
della Vergine; parete di fondo: *Il Beato Jacopone da Todi* (affresco
distaccato, conservato presso il Museo dell'Opera)

Prato, Duomo, cappella dell'Assunta

Nel 1871 fu tolto l'altare barocco, eseguito nel 1667 e fatto decorare in
tale occasione con la tela di Carlo Dolci rappresentante l'*Angelo custode,*
attualmente al Museo dell'Opera del Duomo, dalla Compagnia dei Preti o
dell'Angelo Custode, cui apparteneva a quel tempo la cappella. Della tela
del Dolci un disegno parziale è agli Uffizi e il bozzetto fa parte della
collezione della Cassa di Risparmio di Prato (Galleria degli Alberti)
(Marchini 1963 e 1984): in seguito alla rimozione dell'altare venne in luce
la figura del Beato Jacopone da Todi.
In occasione dello strappo per il restauro degli affreschi (1965-68) sono
state rinvenute le sinopie della volta, del sottarco e di parte delle Storie
(*Disputa* e *Lapidazione di Santo Stefano; Nascita* e *Presentazione al*
Tempio di Maria; Beato Jacopone da Todi).
Assai scarse sono le notizie riguardanti la cappella e la sua decorazione: il
Baldanzi (1846, pp. 47 e 51) riferisce la notizia, tratta da documenti
dell'Archivio del Capitolo, secondo cui nel 1447 i Canonici della chiesa si
lamentarono perché il proposto Niccolò Milanesi (1424-1448) aveva fatto
togliere da due anni le vetrate dalle due grandi finestre della cappella,
fatte eseguire dal canonico Ranieri da Prato "iam sunt anni quadraginta
et ultra"; questo fatto è stato spesso interpretato del tutto arbitrariamente
come legato alla esecuzione degli affreschi, per i quali le 'giornate di
lavoro' individuate nel corso degli ultimi restauri (Marchini 1969, pp.
51-131) danno tempi relativamente assai ristretti, e che dovevano a quel
momento essere finiti da un pezzo.
Infatti, secondo gli studi del Marchini (1969, p. 52), la intitolazione
all'Assunta della cappella a destra di quella maggiore nella cattedrale di
Santo Stefano risale alla fine dell'anno 1435, ed è dovuta a Michele di
Giovannino, lanaiolo pratese, attraverso un testamento fatto in età
avanzata, ma non in punto di morte, di cui parla anche nella sua 'portata'
al Catasto del 1435 (ASF, Catasto, vol. 560, c. 253: "ò fatto la chapella e
dotata"). Egli anzi sopravvisse ancora a lungo, ma nel 1441 fu
imprigionato per debiti (ASF, Catasto, vol. 560, c. 37), cosa che di nuovo
avvenne nel 1447 (Marchini 1969): ciò esclude che possa aver messo
mano alla decorazione della cappella negli anni dopo il '40.
D'altronde non è chiaro a chi appartenga lo stemma posto al di sopra
dell'arco d'ingresso della cappella stessa (Badiani 1934), non conoscendosi
l'arme di Michele di Giovannino.
Una datazione precoce del ciclo di affreschi in esame affacciata, ma senza
seguito, fin dal 1938 dal Ragghianti, è stata riaffermata di recente dai
maggiori specialisti dell'argomento (Boskovits 1970; Sindona 1970;

Parronchi 1974; Volpe 1980; Padoa Rizzo 1987; e dopo oscillazioni
Marchini 1984) sia in relazione alla presenza di Andrea di Giusto a Prato
(Boskovits) sia per il sicuro rapporto tra il *San Paolo* del sottarco della
cappella e l'analoga figura nel pilastrino della *Deposizione* già in Santa
Trinita di Firenze del Beato Angelico (Volpe 1980; Parronchi 1981),
databile per via documentaria al 1432 (Padoa Rizzo 1981, 1987).
Si può però precisare *ad annum* la decorazione della cappella,
osservando come Andrea di Giusto, il minore artefice già riconosciuto dal
Sirèn (1904) come colui che portò a termine il lavoro subentrando al
primo maestro nella storia della *Lapidazione di Santo Stefano* sulla parete
sinistra (in cui però la parte alta, comprendente il paesaggio, appartiene a
Paolo Uccello stesso) ed eseguendo totalmente il *Seppellimento di Santo
Stefano* e il *Matrimonio di Maria* sulla parete destra, riprenda alla lettera,
sebbene in controparte, la figura di *San Francesco* dipinta nel sottarco
della cappella, nella sua tavola datata 1437 attualmente alla Galleria
dell'Accademia a Firenze, ma proveniente dalla chiesa del convento di
Santa Margherita a Cortona (Bellosi 1990, pp. 20-21).
Ma ancora di più si può andare a segno: il fatto che l'artista principale,
giustamente identificato dalla maggior parte degli studiosi, dopo molte
oscillazioni ed incertezze (per un buon riepilogo del problema cfr. L.
Tongiorgi Tomasi 1971), con Paolo Uccello in persona piuttosto che con
un suo 'alter ego' detto 'Maestro di Prato', abbia lasciato in tronco il
lavoro, induce ad alcune considerazioni inevitabili: 1) che doveva essere
pressato da altra commissione, assai importante e improcrastinabile; 2)
che il pittore che portò a termine il ciclo di affreschi doveva essere o un
suo collaboratore anche nelle fasi precedenti del lavoro ed ormai
abbastanza maturo da poter lavorare anche da solo, oppure persona da
lui presentata all'uopo in accordo col committente per non incorrere nelle
gravi sanzioni che avrebbe comportato la rescissione unilaterale del
contratto.
Riguardo al primo punto, possiamo considerare con certezza la
commissione dell'affresco celebrativo di *Giovanni Acuto* nella cattedrale
fiorentina, avvenuta il 30 maggio 1436, ma per la quale era stato fatto un
concorso (probabilmente vinto da Paolo Uccello) già nel 1433: si trattava
di una commissione ufficiale della Repubblica alla quale l'artista era già
vincolato dal concorso, e che non poteva essere rimandata a causa della
fretta in vista della consacrazione della chiesa da parte di Eugenio IV,
stabilita in tempi ristretti per improvvisa necessità. Di conseguenza, le
parti della cappella dell'Assunta in cui è presente Paolo Uccello in
persona saranno certamente state eseguite tra l'inverno e la primavera
del 1435-36, per poi essere continuate nei mesi immediatamente
successivi da Andrea di Giusto.
Quanto all'ipotesi che Andrea di Giusto già fosse tra i collaboratori di
Paolo Uccello, mi pare confermato dalla possibilità di rintracciare i suoi
modi pittorici in alcuni brani degli affreschi stessi, e con particolare
chiarezza in alcune testine delle fasce decorative (cfr. la giovinetta in
profilo sulla destra della *Presentazione della Vergine al Tempio*):
d'altronde il pittore era certamente presente a Prato nel 1435, anno in cui
è datato il polittico proveniente dal convento di San Bartolomeo delle
Sacca (Prato, Galleria Comunale), e dovette acquistarsi una certa fama
presso i committenti della zona, poiché troviamo una sua importante

Due Virtù: Speranza; Fede, nella volta.

opera (*San Cristoforo*, affresco distaccato e sinopia) a Carmignano (chiesa di San Michele), assai vicina stilisticamente alle ultime scene della cappella dell'Assunta.

Come è stato più volte notato (Baldanzi, Marchini) sono presenti nelle storie alcuni ritratti, presumibilmente dei committenti, che però creano qualche problema, difficilmente solubile: nella *Presentazione di Maria al Tempio* sono presenti sulla destra tre personaggi, di cui due più giovani ed in eleganti abiti moderni, presumibilmente appartenenti alla famiglia committente, come forse anche le donne e la bambina che giungono in visita nella *Nascita di Maria*. Il terzo personaggio maschile all'estrema destra della *Presentazione* è stato talvolta identificato come l'autoritratto del pittore, ma forse a torto: infatti non ha alcuna somiglianza col ritratto inserito nel gruppo di uomini famosi della tavola del Louvre. Egli si gira bensì a guardare fuori quadro, come peraltro fa anche l'ultima delle figure femminili nella *Nascita*: l'evidente analogia può forse avere un significato preciso, che però ci sfugge.

Il personaggio a destra delle *Esequie di Santo Stefano*, accanto al servo col falcone, è stato ritenuto un ritratto del committente: potrebbe dunque trattarsi di quel Michele di Giovannino di Sandro da Prato, lanaiolo, mentre altri membri della sua famiglia potrebbero identificarsi con i più giovani personaggi presenti nelle altre storie, sebbene la struttura della sua famiglia, non risultante dal Catasto del 1435, ma chiarita da quello del 1427 (ASF, Catasto, vol. 175, c. 170), ci faccia conoscere, accanto a Michele di Giovannino cinquantaseienne, la giovane moglie di 26 anni, due bambine di 4 e 2 anni, più una fanciulla, Maddalena, "sua allevata d'anni 14", per la quale si richiede il permesso di maritarla.

Non si sa niente circa la decorazione dell'altare della cappella nel XV secolo: il Baldanzi (1846) riferisce che le quattro cappelle ai lati del maggiore erano corredate di "piccoli altari isolati dalle pareti col Santo loro titolare dipinto a fresco o in tavola sotto le prolungate finestre a vetri coloriti". Sappiamo della presenza del Beato Jacopone da Todi sulla parete di fondo, avanzo ad evidenza di una più estesa decorazione, perduta. Non accettabile l'ipotesi recente del Marchini (1984) che ritiene possibile arredo dell'altare della cappella pratese la tavola di Andrea di Giusto datata 1437, rappresentante l'*Assunta tra Santi* della Galleria dell'Accademia di Firenze, per la quale è accertata altra provenienza.

Speranza; Fede, sinopie, Prato, Museo di Pittura murale.

Nascita della Vergine, sinopia, Prato, Museo di Pittura murale.

Nascita della Vergine.

Nascita della Vergine, particolare.

Presentazione di Maria al Tempio.

Disputa di Santo Stefano, sinopia, Prato, Museo di Pittura murale.

Disputa di Santo Stefano.

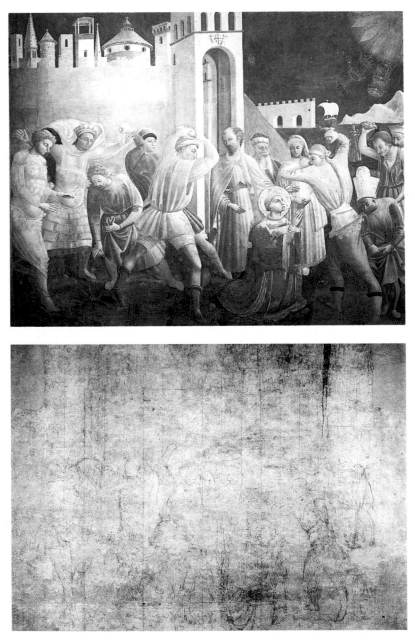

Lapidazione di Santo Stefano, affresco. Lapidazione di Santo Stefano, sinopia,
Prato Museo di Pittura murale.

San Gerolamo e San Domenico;
San Paolo e San Francesco.

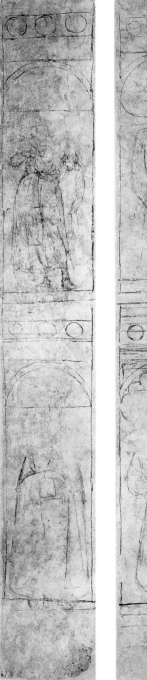

San Gerolamo e San Domenico; San Paolo e San Francesco, sinopie, Prato, Museo di Pittura murale.

KEFA NE· DO
RAI· F R· SE· GI
RATE VN TO·
J APO ALPARA
ONE

BEATO· IACOPO· DA· TODI·

San Jacopone da Todi.

5.
Santa con due fanciulli (frammento)

Tempera su tavola, cm 79 x 35
Già Firenze, collezione Contini Bonacossi

Frammento della parte destra di una notevole pala d'altare: la Santa può identificarsi forse con Santa Scolastica o Santa Monica, dell'Ordine agostiniano.
Il frammento fu pubblicato dal Longhi (1928-29) come opera di Giovanni di Francesco, opinione in seguito modificata verso Paolo Uccello.
L'attribuzione a Paolo Uccello è largamente accolta dagli studiosi, con le oscillazioni verso il Maestro di Prato (Pope Hennessy 1969, pp. 165-166) che caratterizzano molte opere del *corpus* uccellesco. Fu esposto alla *Mostra di Quattro Maestri del Primo Rinascimento* (Firenze 1954).
Stilisticamente prossimo, oltre che agli affreschi di Prato, alla *Madonna col Bambino* di Dublino (cat. 6), di cui condivide tipologie e rapporti cromatici, oltre che il particolare tipo dell'aureola.
Una datazione intorno al 1440, in prossimità anche agli affreschi del Chiostro Verde, è indicata tra l'altro dalla monumentalità severa della Santa in abito monacale.

6.
Madonna col Bambino

Tempera su tavola, cm 57 x 33
Dublino, National Gallery of Ireland

Già appartenente alla collezione Bardini (Scalia-De Benedictis 1984, p. 122) dalla quale fu venduta nel giugno 1899 con l'attribuzione a Lorentino d'Arezzo, fu riferita a Paolo Uccello per la prima volta dal Pudelko (1936): con tale attribuzione concordano quasi tutti gli studiosi, pur con qualche perplessità o col riferimento al Maestro di Prato per coloro che separano da Paolo Uccello il ciclo pratese (Pope Hennessy 1969). Anche la datazione oscilla, a seconda della opinione dei vari studiosi sugli affreschi della cappella dell'Assunta, cui la Madonna di Dublino è concordemente ritenuta assai prossima.

Dopo il restauro del 1968 a cura dell'Istituto Centrale del Restauro di Roma la tavola fu pubblicata nella sua ricuperata situazione originale (fu asportato il manto nero che ne ricopriva la testa, mettendo in luce la bionda capigliatura con l'acconciatura a cercine) dal Sindona (1970), che ne rivendicò la piena autografia e l'importanza nel percorso di Paolo Uccello, insistendo sugli spiccati caratteri prospettici e laici.

La rappresentazione spaziale è ciò che caratterizza profondamente il dipinto, ed è quindi stata oggetto di analisi da parte degli studiosi (Sindona 1970; Parronchi 1974; Rossi 1986), che ne sottolineano l'originalità.

Riteniamo che la evidente deformazione cui è sottoposto il Bambino ed in parte il volto della Vergine sia dovuto ad un artificio di Paolo Uccello, che sembra aver lavorato utilizzando gli effetti dell'uso di uno specchio convesso posto in posizione ravvicinata rispetto alle figure: si tratterebbe quindi di uno di quegli esperimenti - artifici intorno ai quali le fonti tramandano che si arrovellasse Paolo Uccello, ottenendo risultati di alta astrazione, non sempre apprezzati dai contemporanei (cfr. aneddoto vasariano a proposito del giudizio di Donatello "queste son cose che non servono se non a questi che fanno le tarsie") e dal Vasari stesso.

L'estrema vicinanza con gli affreschi di Prato ci fa collocare questa tavoletta verso il 1435-40, in prossimità anche al frammento della collezione Contini Bonacossi, con il quale condivide tipologie e cromia, nonché la caratteristica forma delle aureole: una tale datazione corrisponde bene anche al tipo del costume e della acconciatura 'moderna' della Vergine.

7.
Monumento a Giovanni Acuto

Firmato: "PAULI UGIELLI OPUS"
Affresco, trasferito su tela, in terra verde, cm 820 x 515
Firenze, Santa Maria del Fiore

Secondo i documenti pubblicati dal Poggi (1909, ed. 1988, II, pp. 123-125; 1933) il lavoro fu commissionato a Paolo Uccello il 30 maggio 1436, dopo che il concorso apposito era stato deliberato il 13 luglio 1433: la rapidità con cui, dopo una stasi di ben tre anni dal concorso stesso, si passò alla messa in opera dell'importante affresco, è giustificata dalla fretta imposta dalla prossima consacrazione della Cattedrale da parte di Eugenio IV e dalla solenne inaugurazione della cupola del Brunelleschi, avvenuta il 30 agosto 1436.
Nel breve giro di tre mesi infatti si delibera di fare l'opera (18 e 26 maggio) e si dà l'incarico a Paolo Uccello (30 maggio), che la eseguì due volte: la prima redazione infatti (finita entro il 28 giugno) non era risultata idonea agli Operai del Duomo. Il 31 agosto Paolo Uccello riceve il compenso per l'opera conclusa.
Il dipinto di Paolo Uccello venne a sostituirne un altro eseguito nel 1395 da Agnolo Gaddi e Giuliano d'Arrigo (il Pesello) al cui schema il nuovo lavoro doveva ispirarsi: a questa circostanza potrebbe imputarsi la discontinuità di visione spaziale esistente tra il cenotafio e il gruppo del cavaliere col suo basamento (Even 1985). Esiste un disegno preparatorio per l'affresco di Paolo Uccello (Firenze, Uffizi, n. 31F) (cat. 2A), importante perché è il più antico che si conosca in cui è presente la quadrettatura per l'ingrandimento (Schmitt 1959).
Secondo la recente interpretazione della Borsook (1982) l'iconografia del finto monumento bronzeo (l'uso della terra verde fu espressamente imposto a Paolo Uccello quando ricevette l'incarico nel maggio 1436) è dovuta alla interpretazione umanistica dell'Acuto come nuovo Fabio Massimo, in seguito alla pubblicazione, avvenuta poche settimane prima, della *Vita* di Plutarco tradotta da Lapo di Castiglionchio, amico di Bartolomeo di Benedetto Fortini che dettò l'iscrizione sull'affresco in questione, riproducente proprio le ultime righe di un panegirico di Fabio Massimo inciso su una tavoletta conservata al Museo Archeologico di Firenze, ben nota agli umanisti del XV secolo.
Il legame di amicizia tra Lapo di Castiglionchio, Bartolomeo Fortini e Leon Battista Alberti (Borsook 1982) può spiegare qualcosa circa il rinnovato gusto aulico e prospettico che Paolo Uccello dispiega in questo solenne monumento celebrativo, che il pittore orgogliosamente firmò "PAULI UGIELLI OPUS".

8.

Presepe

Affresco frammentario, distaccato
Bologna, San Martino Maggiore, cappella Marescotti

Originariamente sulla parete est della sacrestia, l'affresco, molto
frammentario ma di grande importanza storica, dopo il rinvenimento e il
restauro da parte della Soprintendenza di Bologna (1978-80) è stato
pubblicato dal Volpe (1980) con la corretta attribuzione a Paolo Uccello e
la collocazione cronologica in un momento appena precedente (o
contemporaneo) all'anno 1437, data che lo studioso legge graffita a mano
libera sopra l'affresco stesso, ma che viene interpretata come 1431 dal
Parronchi (1981). La chiesa di San Martino, già esistente, fu concessa ai
Carmelitani, stabilitisi a Bologna fin dal 1140, dal vescovo Ottaviano
Ubaldini nel 1293: pur divenendo chiesa conventuale, San Martino
Maggiore mantenne la cura della parrocchia (cfr. *Basilica parrocchiale di
San Martino a Bologna*, Numero unico 1969, pp. 11 e segg.).
Per questa ragione è spiegabile come la commissione dell'affresco sia
venuta non da parte dei monaci ma di una famiglia privata, i cui membri
si vedono (parzialmente) inginocchiati a destra; da escludere d'altronde la
commissione da parte di una Confraternita, sia per l'iconografia adottata
dal pittore, sia per ragioni storiche: nella chiesa infatti esisteva già dal
1344 la Confraternita del Carmine, che però aveva la cappella a destra
dell'altare maggiore, dedicata a Sant'Orsola, nel XVII secolo passata alla
famiglia Buratti; nei locali annessi alla sacrestia (dove si trovava
originariamente l'affresco) esisteva bensì una Confraternita, detta del SS.
Sacramento, che però ebbe inizio non prima della metà del XVI secolo,
così che non è possibile metterla in connessione con l'affresco di Paolo
Uccello.
Rimane dunque oscura l'occasione di esso e del viaggio del pittore a
Bologna, di cui non conosciamo la durata, né se sia da mettere in
relazione con il suo precedente soggiorno veneziano. Certamente il non
vasto affresco parla un linguaggio del tutto fiorentino e 'moderno', che lo
stacca decisamente dal contesto culturale in cui veniva a porsi, tanto da
far pensare ad un preciso desiderio da parte del committente, che non
escluderei potesse essere un qualche notabile fiorentino, stabilitosi a
Bologna o per affari o in seguito a un bando per ragioni politiche.

9.
La battaglia di San Romano: disarcionamento di Bernardino della Ciarda, capitano delle truppe senesi

Firmato: "PAULI UGIELI OPUS"
Tempera su tavola, cm 182 X 323
Firenze, Uffizi

Pannello centrale di una serie di tre episodi, di cui quello a sinistra è conservato alla National Gallery di Londra (cat. 10) e rappresenta Niccolò da Tolentino, capitano dei fiorentini, alla testa delle sue truppe nella battaglia di San Romano del I° giugno 1432 contro i senesi guidati da Bernardino della Ciarda; il terzo episodio si trova al Louvre (cat. 11) e narra l'arrivo delle truppe comandate da Micheletto Attendolo da Cotignola in aiuto al manipolo del Tolentino. I tre pannelli sono ricordati nella sala terrena del Palazzo Medici (terminato non prima del 1452) nell'*Inventario* steso alla morte del Magnifico nel 1492 (Muntz 1888, p. 60; Horne 1901, p. 137), dove secondo la plausibile ricostruzione del Baldini (1954, pp. 226 e segg.) ipotizzata in seguito al restauro del pannello fiorentino, dovevano disporsi nella fascia sottostante i lunettoni, due sulla parete di ingresso (quelli di Londra e degli Uffizi) e uno sulla contigua parete di destra, ad angolo retto (pannello del Louvre).
Per ragioni di misura, di migliore leggibilità, di cronologia deducibile dalla storia del costume e dal confronto stilistico, e di opportunità politica (Boccia 1970; Parronchi 1974; Joannides 1989; ma in contrario Griffith 1978, che riprende Pope Hennessy 1950 e 1969) si deduce con certezza che i pannelli dovevano essere stati eseguiti per una sala di rappresentanza, un poco più piccola, del precedente palazzo della famiglia di Cosimo dei Medici, adiacente a quello nuovo di Michelozzo, per volere di Cosimo non molto dopo il fatto d'arme stesso, il cui successo fu determinante per il suo rientro dall'esilio. Al contrario, l'interpretazione del Del Bravo (1983) che vede il ciclo delle *Battaglie* in connessione con la morale di Cosimo ispirata al pensiero di Seneca, sembrerebbe propendere per una datazione assai tardiva, difficilmente accettabile.
Ricordati dal Vasari (1568), nell'*Inventario* del 1598 (Horne 1901) i tre pannelli sono detti "tutti in un pezzo, con le cornicette dorate, appiccati al muro alti sopra del primo salone, nell'andito della cappella"; la nuova destinazione comportò la risagomatura con l'integrazione degli angoli, scoperta nel restauro moderno (Baldini 1954).
Una recente ipotesi (Cristiani Testi 1981) indica una diversa collocazione e sequenza originaria per i tre dipinti, in cui quello degli Uffizi, recante la firma del pittore, occuperebbe l'ultima posizione a destra e quello del Louvre quella centrale: risulta però poco credibile, per l'impressione che ne deriverebbe, poiché apparirebbero scontrarsi in battaglia i due contingenti alleati del Tolentino e dell'Attendolo. Le recentissime ricerche del Joannides (1989) sembrano contraddire anche l'altra, pur interessante, osservazione della studiosa, secondo cui in origine i tre pannelli dovevano essere collocati ad altezza assai minore, anche per analogia con certe sistemazioni antiche (cfr. Villa dei Misteri a Pompei): ciò comporterebbe

che il formato regolarmente rettangolare fosse originario, più tardi sagomato agli angoli alti per adattarlo alla nuova collocazione nella sala terrena del palazzo di Michelozzo, e poi di nuovo integrato per il successivo spostamento testimoniato dall'*Inventario* del 1598.

I tre pannelli risultano ancora in possesso dei Medici nel XVII e nel XVIII secolo, fino al 1787: ma solo uno di essi fu esposto in Galleria, mentre gli altri due, dopo un restauro presso il pittore Carlo Magni, furono riposti in Guardaroba e in seguito alienati (Meloni 1975), giungendo alle sedi odierne.

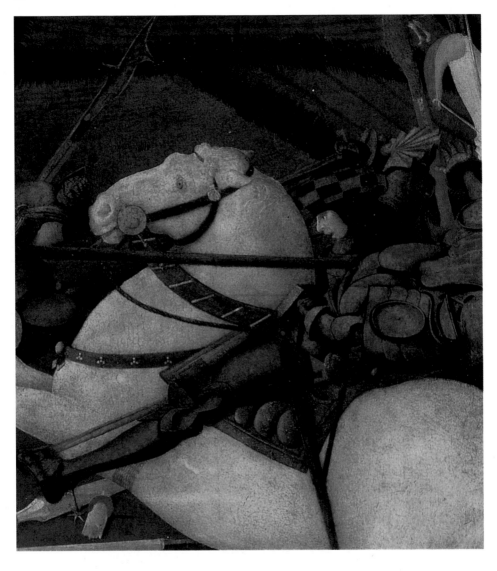

10.
La battaglia di San Romano: le truppe fiorentine guidate da Niccolò da Tolentino

Tavola, cm 182 X 317
Londra, National Gallery

Pannello sinistro della serie di tre, già in casa Medici. Cfr. cat. 9.

11.
La battaglia di San Romano: l'arrivo delle truppe guidate dal Cotignola

Tavola, cm 180 X 316
Parigi, Louvre

Pannello destro della serie di tre, già in casa Medici. Cfr. cat. 9.

12.
Vetrate

Natività; Resurrezione; Annunciazione (distrutta nel 1828)
Firenze, Santa Maria del Fiore, tribuna

Il disegno per la *Resurrezione* fu eseguito da Paolo Uccello due volte, secondo che si apprende da un documento dell'8 luglio 1443 (Poggi 1909, ed. Haines 1988, I, doc. n. 750, p. 143): non sappiamo per quale ragione; fu eseguita dal vetraio Bernardo di Francesco.
Il disegno per la *Natività* gli fu pagato il 5 novembre 1443, e fu tradotto in opera dal vetraio Angelo Lippi (Poggi 1909, ed. Haines, 1988, I, doc. n. 754, p. 143).
Il disegno per la perduta *Annunciazione* fu fornito il 18 febbraio 1444 (Poggi 1909, ed. Haines 1988, I, doc. n. 761, p. 143).
Il fatto che siano ben tre le vetrate disegnate da Paolo Uccello (solo il Ghiberti, suo antico maestro, fornisce il disegno per un maggior numero di esse) indica come il pittore fosse apprezzato anche in questo campo dagli Operai del Duomo, che peraltro spesso si servono di lui in questo giro di anni.
Il disegno ampio delle figure e della decorazione e la sistemazione spaziale semplice, che favorisce la traduzione nel difficile 'medium' cui erano destinati i cartoni, nonché la loro visione a grande distanza, si accorda col carattere di 'trasparente luminoso' tipico delle vetrate (Marchini 1955). Da osservarsi come nella *Resurrezione* i due guerrieri addormentati abbiano copricapi pressoché identici a quanto si vede nella *Battaglia* degli Uffizi; inoltre quello di sinistra, sovrastato da un aranceto in tutto simile a quello della tempera fiorentina, ripete anche nella posa e nella tipologia il suo gemello al centro del medesimo dipinto: ciò può valere come indicazione per la dibattuta cronologia delle tre grandi tavole già in palazzo Medici, le cui invenzioni furono ad evidenza reimpiegate, probabilmente attraverso il riutilizzo di disegni parziali, per i cartoni delle vetrate del Duomo, che ne vengono a costituire così un termine *ante quem*.

Natività.

Resurrezione.

13.
Orologio

Firenze, Santa Maria del Fiore, parete di controfacciata

Un documento del 22 febbraio 1443 ci informa che Paolo Uccello
ricevette quaranta lire "pro suo magisterio rerum factarum pro oriuolo", e
un altro documento del 2 aprile dello stesso 1443 attesta un ulteriore
compenso a "Paulo Doni Ucelli" per la doratura della stella con in punta
una palla che serviva da lancetta, e per l'esecuzione del campo azzurro
su cui essa insisteva (Poggi 1933; *idem* 1909, ed. Haines 1988, II, p. 162).
Il compenso che gli viene corrisposto, di 40 lire, è il medesimo pagatogli
per ognuno dei cartoni di vetrate da lui forniti nel corso del medesimo
anno.
La 'mostra' dell'orologio è ornata da quattro teste maschili nimbate, che
si affacciano ad oculi prospettici, interpretate come gli *Evangelisti*
(Parronchi 1974, p. 41), oppure genericamente come *Profeti*, forse in

relazione con "sublimi pensieri stoici sulle regole dell'universo" (Del Bravo 1990, p. 158).

Questo motivo ebbe fortuna e diffusione a Firenze, trovando applicazione in pittura, sia in opere monumentali sia in lavori di artigianato artistico, da parte di artefici non di primo piano, ma attenti alle novità di cui furono precoci diffusori, come Neri di Bicci e Giovanni di Francesco: del primo converrà ricordare la perduta (ma nota attraverso le fonti) decorazione a fresco della cappella Lenzi in Ognissanti (1451) e l'affresco con *San Giovanni Gualberto in trono* (1455, Firenze, Santa Trinita); il secondo usa un motivo tratto di peso dalla mostra dell'*Orologio* del Duomo in una cornice dipinta dei Musei di Berlino.

L'*Orologio* di Paolo Uccello è stato recentemente restaurato a cura della Soprintendenza di Firenze: si è così scoperta l'esistenza di ben due ridipinture complete al di sopra del quadrante originale, e di una sua prima versione, sempre di Paolo Uccello, al di sotto di quella definitiva, ugualmente con le ore segnate in senso antiorario (cfr. Tongiorgi Tomasi 1971, pp. 92-93; Parronchi 1974, p. 41).

Natività, sinopia.

14.
Natività

Affresco in terra verde, distaccato, cm 140 X 215
Firenze, Uffizi

In condizioni estremamente precarie, che ne rendono difficile la lettura.
Decorava una lunetta del chiostro dello Spedale di Santa Maria della
Scala, fondato nel 1313 da Cione di Lapo Pollini, lanaiolo fiorentino, che
nel 1531 venne assegnato alle monache di San Martino 'alle Panche', da
cui prese nome di monastero di San Martino alla Scala; lo Spedale di
Santa Maria poco dopo (1535) si fuse con quello degli Innocenti, nel cui
archivio si trovano i documenti ad esso pertinenti (Richa 1755, III, p. 327;
Belloni 1950; Paatz 1952, IV, pp. 133-147). Fu pubblicato dal Paatz (1934)
con l'attribuzione a Paolo Uccello, in seguito accettata da tutti gli studiosi.
La tecnica, in terra verde con rialzi colorati, è tipica di Paolo Uccello, ed
anche il taglio prospettico e l'impaginatura della scena, con poche figure
in un profondissimo spazio, sono caratteristiche della fase centrale
dell'attività del pittore, non lontano dalla *Ubriachezza di Noè* nel Chiostro
Verde di Santa Maria Novella e dalle *Storie di Santi Padri* di San Miniato.
La datazione alla metà circa del quinto decennio del secolo proposta dal
Paatz fu accolta dal Salmi (1938), che però non ritenne autografa la
stesura dell'affresco, e in forma dubitativa dalla Tongiorgi Tomasi (1971).
Assai tarda è invece la datazione proposta dal Pope Hennessy (1950;
1969, p. 94), che lo analizza, come peraltro quasi tutti gli studiosi che se
ne sono occupati, prevalentemente dal punto di vista della spazialità (cfr.
White 1957; Gioseffi 1958); più recentemente, il Parronchi (1974 pp.

Natività, affresco.

30-31) pensa ad un periodo precedente di poco o contemporaneo al monumento a Giovanni Acuto (1436).

Nel tentativo di mettere ordine nella difficile cronologia di quasi tutte le opere del pittore, notiamo l'incontestabile vicinanza di impaginatura con l'*Ebbrezza di Noè* del Chiostro Verde, che abbiamo visto databile entro i primi anni del quinto decennio del secolo, ed anche la grande somiglianza del motivo decorativo nella incorniciatura di questa lunetta con quello dei resti analoghi del coro di Sant'Egidio ritrovati nei restauri del 1938 (cfr. Salmi, *Contributi fiorentini alla storia dell'arte: ricerche intorno ad un perduto ciclo pittorico del Rinascimento,* in "Atti e Memorie dell'Accademia Fiorentina di Scienze Morali, la Colombaria", I, 1943-46, Firenze 1947, pp. 421 e segg.; H. Wohl, *Domenico Veneziano,* Oxford, 1980, tav. 167), ugualmente pertinenti alla prima metà del quinto decennio del secolo. La collocazione originaria del dipinto ne fa intendere l'iconografia: si trattava infatti dell'unico chiostro di uno Spedale che secondo le fonti (fra' Domenico da Corella, c. metà XV sec.) era destinato ad accogliere i bambini 'esposti', i quali "hic gratis Divae Matris aluntur ope", compresi quelli che nascevano deformi (cfr. Belloni 1950). La *Natività* è rappresentata da Paolo Uccello secondo l'iconografia della *Adorazione del Bambino,* diventata consueta a Firenze dall'inizio del XV secolo, con il diffondersi della conoscenza delle *Rivelazioni* di Santa Brigida di Svezia.

L'affresco fu staccato nel 1952, e al di sotto fu rinvenuta la sinopia, a sua volta staccata nel 1958 (Procacci 1960, p. 233), concernente la sola rete per l'impianto prospettico, senza figure: di fondamentale importanza per l'interpretazione, peraltro assai discussa, della prospettiva di Paolo Uccello (Tongiorgi Tomasi 1971; Parronchi 1974).

15.
Storie di Santi Padri

Affreschi staccati, in terra verde con rialzi di colore (lacunosi)
Firenze, San Miniato al Monte, chiostro

Le storie sono inquadrate da finte partiture architettoniche in terra verde, su un basamento dipinto a riquadri con finte borchie. Le fonti, a partire dall'Albertini (1510) parlano concordemente della decorazione del chiostro di San Miniato come opera di Paolo Uccello, sebbene talvolta con non grande entusiasmo: l'Anonimo Magliabechiano (prima metà XVI sec.) dichiara gli affreschi "cose non molto tenute in pregio", mentre il Vasari (1568) li critica per l'improprio, a suo parere, uso del colore.
Scialbati e non più visibili già nel XVII secolo, furono rinvenuti e pubblicati dal Marangoni (1930) come opera di Paolo Uccello quando erano ancora in gran parte nascosti. In un primo tempo datati dal Salmi (1938, 1950), seguito da quasi tutti gli studiosi, a prima del 1440, sono stati poi considerati della fine del decennio successivo in seguito agli studi del Saalman (1964) sulle fasi costruttive del chiostro, che egli data al 1446-47: ma anche questa datazione rimane assai incerta, poiché lo studio di Randall Mack (1973) indica vari momenti per l'edificazione del chiostro, a partire dal 1426-30 fino al 1443.
La mancanza di notizie di archivio relative agli affreschi ha fatto supporre al Berti (1988) che la decorazione possa essere stata commissionata da privati come dono (o lascito) nei confronti dei monaci: una situazione simile a quella del Chiostro Verde di Santa Maria Novella, non improbabile.
Dalle carte del monastero (recentemente raccolte nel volume *La Basilica di San Miniato al Monte a Firenze,* Firenze 1988), risulta che Paolo Uccello con il collaboratore Antonio di Papi (artista peraltro sconosciuto, ma che è ricordato attivo a San Miniato anche nel 1466 insieme a suo fratello - ? - Corsino, cfr. ASF, Archivio di S. Maria Nuova, Carte del Monastero dell'Arcangelo Raffaello, 17, Ricordi dei Frati di San Miniato 1466-1483, c. 2v) lavorava alla decorazione del refettorio nel 1455, il che ha fatto supporre al Berti (1988) una vicinanza temporale con la parete sud del chiostro, da lui ritenuta più tarda di quella est, e non completamente autografa.
Gli affreschi sono stati staccati e restaurati da G. Rosi (1969-71); lo stacco ha portato in luce le sinopie. Nel corso degli ultimi restauri sono stati rinvenuti ulteriori frammenti di affreschi e di sinopie, tra cui uno rappresentante due monaci a tavola, di cui quello di profilo probabilmente ridipinto nel Cinquecento (Berti 1988).
Nel 1547 Bernardo Buontalenti sostituì una delle storie di Paolo Uccello con il suo *Cristo sulla via di Emmaus,* tutt'ora visibile.
Gli affreschi, estremamente frammentari e per questo neppure individuabili nei soggetti (sono quasi perdute anche le iscrizioni esplicative che li completavano) sono stati ricollocati *in loco* nel 1976, restituendo al chiostro una sua malgrado tutto buona fruibilità. Le sinopie mostrano la sempre grande coerenza stilistica di Paolo Uccello in questo settore, risultando assai prossime sia a quelle di Prato che a quelle

Storie di Santi Padri, parete est.

del Chiostro Verde, come anche ai pochi disegni su carta certamente autografi: in esse la sintesi geometrica sovranamente raggiunta mostra insieme la preoccupazione e il dominio del pittore rispetto alla resa prospettica; malgrado che sull'esecuzione del ciclo pesi talvolta la presenza dei collaboratori, risultando più incerta la resa spaziale di alcune immagini rispetto alle sinopie, la complessità della costruzione prospettica e l'uso del colore ad esaltare le forme geometricamente composte in improbabili spazi, fanno di questa decorazione un *unicum* nella pittura fiorentina del Rinascimento, il cui apprezzamento risultò difficile già ai contemporanei. Indecifrabile fino ad ora è risultata l'impresa' dipinta nel basamento del lato est del chiostro, raffigurante una scala con due cartigli e, forse, figurine (?) (Berti 1988): forse in connessione con l'Ospedale di Santa Maria della Scala o con un privato committente?

Storie di Santi Padri, parete est.

Storie di Santi Padri, parete est.

Storie di Santi Padri, sinopia.

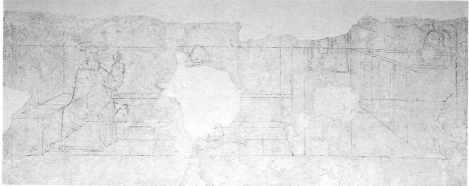

Storie di Santi Padri, parete est, e sinopia.

Storie di Santi Padri, parete est.

Storie di Santi Padri, parete sud.

Storie di Santi Padri, parete sud, sinopia.

Storie di Santi Padri, parete sud, e sinopia.

Storie di Santi Padri, parete sud.

16.
Cristo in pietà, la Vergine e San Giovanni Evangelista

Tempera su tavola, cm 22 X 177
Firenze, Museo di San Marco

Fondo oro; iscrizione in capitali color rosso, largamente abrasa, che
danno la data 24 settembre 1452. Ai lati due stemmi non identificabili.
Proviene dalla Compagnia della SS. Annunziata di Avane, nel comune di
Cavriglia.
Predella di una pala d'altare rappresentante l'*Annunciazione* rubata nella
notte fra il 19 e il 20 dicembre 1897. Secondo la scheda del Carocci
(marzo 1892) redatta per la Soprintendenza di Firenze, la tavola misurava
cm 88 X 144, era completata da una cornice in legno, malandata, e
recava le figure dell'Angelo e della Vergine inginocchiate l'una di fronte
all'altra davanti a un edificio preceduto da un portico, con fondo di paese.
Il Carocci attribuisce la tavola a Neri di Bicci per i caratteri stilistici,
ritenuti inconfondibili. Trascrive per intero l'iscrizione, oggi assai
frammentaria, che possiamo ricostruire così: "Questa tavola à fatto fare
Antonio di Piero di Giovanni Del Golia per remedio del'anima sua et de
suoi A dì XXIIII di settembre 1452".
Nell'inedito *Inventario de' beni mobili e stabili della Compagnia di Meleto*
(1672-1679, Oratorio della Santissima Annunziata di Avane, appartenente
alla chiesa di Santa Cristina a Meleto, cui si trovava di fronte) conservato
presso l'Archivio Vescovile di Fiesole (AVF, XIX, 7, n. 177) è ricordata,
sull'altare della chiesa della Compagnia "l'ancona dove è dipinto il
mistero della Santissima Annunziata con l'adornamento di legno sopra
innorato con la tenda avanti"; essa è di nuovo menzionata nell'*Inventario*
del 1717 (AVF, XIX, 12, c. 529) (Padoa Rizzo 1990).
La predella, rimasta, con qualche avanzo della cornice lignea, presso il
Sub-economato dei Benefici Vacanti della Diocesi di Fiesole fino al 1906,
venne depositata presso le Gallerie Fiorentine, poi alla Fortezza da Basso,
da dove fu trasferita al Museo di San Marco nel 1983.
Nessuna notizia è stato possibile reperire sul committente ricordato
nell'iscrizione, che non risulta accatastato né a Firenze né in contado.
L'attribuzione del Carocci a Neri di Bicci per la tavola con
l'*Annunciazione* di cui la predella faceva parte lascia alquanto perplessi,
non essendo facile intendere il tipo di collaborazione che poteva legare i
due artisti ad una tale data (1452): può darsi che lo stile profilato e forse

ornato dell'opera (desumibile dalla predella) abbia tratto in inganno lo studioso, e il dipinto fosse in realtà un prodotto omogeneo uscito da una bottega fiorentina che non era quella da poco guidata da Neri di Bicci, il cui stile a questa data è testimoniato dalla pala con la *Madonna e Santi* oggi al Museo Diocesano di San Miniato proveniente dalla parrocchiale di Canneto, ma quella di Paolo Uccello in piazza San Giovanni.

La qualità della predella superstite, ben leggibile malgrado il cattivo stato di conservazione, è assai elevata: vi domina uno stilismo rigoroso nella giustezza dei rapporti spaziali e proporzionali, nella intensità dei sentimenti, nello splendore luminoso dei colori sull'oro del fondo, nella accuratezza degli ornati. Con la sua data 1452, la predella costituisce un sicuro e prezioso punto di riferimento per la produzione in piccolo formato dell'artista, famoso al suo tempo in questo campo, secondo la testimonianza del Vasari.

La predella è stata esposta alla *Mostra di quattro Maestri del Primo Rinascimento* (Firenze 1954) e recentemente a quella in Palazzo Vecchio *L'età di Masaccio* (Firenze 1990).

17.
Madonna col Bambino, due angeli e San Francesco

Tempera su tavola, cm 59,7 X 45,1
Allentown, Art Museum (coll. Kress)

Proveniente dalla collezione Contini Bonacossi di Firenze. Per lo più
ritenuta opera di scuola, è stata considerata autografa dal Berti (1961) che
la avvicina, a nostro parere giustamente, alla predella di Avane (1452)
(cfr. Tongiorgi Tomasi 1971). Recentemente Parronchi (1974) la ritiene,
insieme ad altre opere tra cui anche la predella di Avane, appartenente
agli esordi del Baldovinetti, prima della sua collaborazione alla cateratta
dell'armadio degli argenti della SS. Annunziata.
La Vergine ha nel volto l'espressione malinconica e attonita che si ritrova
nella figura di Micheletto da Cotignola della *Battaglia di San Romano*
(Parigi, Louvre); il rovello grafico delle pieghe del manto della Vergine
rinvia anche, ma in maniera più intensamente prospettica, alla *Madonna*
già in casa Beccuti (Firenze, Museo di San Marco), mentre la sottigliezza
del segno e la magrezza delle forme, pur volumetricamente definite,
come anche il rapporto tra il fondo d'oro e le figure, sono elementi che
accomunano questa tavoletta alla predella di Avane, indicando una
cronologia non distante dalla metà del secolo. Non è da escludere che
possa riferirsi in qualche modo a questa tavola il disegno degli Uffizi
(1302 F) rappresentante un angelo in profilo (*The Samuel H. Kress
Memorial collection...*, 1960, p. 48). Molti degli elementi di stile che
caratterizzano questo dipinto, certo destinato alla devozione privata,
saranno ripresi, più tardi, nelle opere già raggruppate sotto l'etichetta
'Maestro di Karlsruhe', ma probabilmente riferibili alla attività dei figli
pittori di Paolo Uccello, dal 1470-75 in poi.

San Giovanni in Patmos.

18.
Predella di Quarata
*San Giovanni in Patmos; Adorazione dei Magi; San Giacomo e
Sant'Ansano*

Tempera su tavola, cm 20,5 X 178
Firenze, Museo Diocesano (deposito di Santo Stefano al Ponte)

Proviene dalla antica chiesa di San Bartolomeo a Quarata (Bagno a
Ripoli) il cui patronato apparteneva alla famiglia Quaratesi, che più volte
la fece restaurare e che dette alla chiesa molti parroci (Carocci 1906-7, II,
pp. 164-165). Nell'Inventario della chiesa di San Bartolomeo a Quarata
redatto dal Rondoni nel 1864 (Firenze, Soprintendenza ai Beni Artistici e
Storici) la predella è ricordata sopra la mensa del primo altare a destra
entrando, che nel 1908 era intitolato al Crocifisso. Fu pubblicata dopo la
pulitura dal Marangoni (1931-32) come opera di Paolo Uccello giovane,
prima del 1432.
L'attribuzione e la datazione precoce hanno trovato consenzienti la
maggior parte degli studiosi (Serra 1933-34, p. 45; Ragghianti 1938, p. 24;
Boeck 1939, pp. 74-75; Sindona 1957, pp. 22, 57; Angelini, in Bellosi
1990, p. 78) mentre altri spostano la data verso il 1445-50 (Longhi 1940,
p. 179; Carli 1954, pp. 22, 58) ed altri ancora la riferiscono ad un seguace
(Gamba 1933-34, p. 55; Kaftal 1952, p. 59; Lauts 1966, p. 187; Salmi
1934-35, pp. 1-6; Pope Hennessy 1969, pp. 166-167), sempre con una
datazione verso il 1445-50. Più recentemente anche Tongiorgi Tomasi
(1971) e Parronchi (1974, pp. 24-25) indicano datazioni relativamente
precoci, verso il 1440 e poco oltre. La predella fu esposta alla *Mostra di
quattro Maestri del Primo Rinascimento* (Firenze 1954, cfr. Micheletti
1954, pp. 49-50) e recentemente a quella *Pittura di Luce* (Firenze 1990,
cfr. Bellosi 1990).
La predella presenta nel legno, nella parte centrale superiore, l'incavo
atto a ricevere l'incastro di un elemento soprastante, che per le
dimensioni può essere individuato con certezza in un ciborio: si ignora se
questa sia stata la sua destinazione originaria, cosa non da escludersi.

Adorazione dei Magi; San Giacomo e Sant'Ansano.

Il miracolo dell'Ostia profanata, particolare.

19.
Il miracolo dell'Ostia profanata

Tempera su tavola, cm 43 x 351
Urbino, Palazzo Ducale, Galleria Nazionale delle Marche

Secondo documenti resi noti dal Pungileoni (1822), dallo Schmarsow (1886) e dal Lavalleye (1936) la predella fu eseguita da Paolo Uccello per l'altare della Compagnia del Corpus Domini di Urbino, che la pagò al pittore tra l'agosto 1467 e l'ottobre 1468. La pala cui doveva sottostare fu eseguita qualche anno più tardi da Giusto di Gand, dopo che nel 1469, partito Paolo Uccello da Urbino, fu richiesto l'intervento di Piero della Francesca, che ricusò l'offerta di terminare il lavoro, secondo Parronchi (1974) già progettato da Paolo Uccello.
Certo egli risulta presente a Urbino già nel 1465, presumibilmente operoso presso la corte e familiare con Federico (per il quale eseguì probabilmente la *Caccia* di Oxford) e con la duchessa Battista Sforza, alla quale è quasi certo che si riferisca il *Ritratto di Dama* già nella collezione Lehman (Parronchi 1974), individuabile nell'Inventario del Palazzo Ducale del 1624 (Sangiorgi 1977, p. 323): d'altronde lo stesso Federico è presente in effigie alla *Comunione degli Apostoli* dipinta nella parte maggiore del quadro per la Compagnia del Corpus Domini, cui apparteneva la predella in esame.
In realtà, secondo studi recenti (Aromberg Lavin 1967) l'accento anti-ebraico intrinseco nella storia rappresentata nella predella è da connettersi alla istituzione in Urbino del Monte di Pietà, alla cui promozione ebbe parte decisiva la stessa duchessa (1468): è peraltro sicura la protezione della corte nei riguardi della antica e prestigiosa

Il miracolo dell'Ostia profanata, particolare.

Compagnia, e non poté essere estranea alle vicende relative alla messa in opera del dipinto, tanto più che gli artisti per esso interpellati (Piero della Francesca, Giusto di Gand) sono gli stessi a lungo operosi per il duca. Sarà dunque da scartare l'ipotesi del Pope Hennessy (1969), secondo cui Paolo Uccello sarebbe stato esonerato dall'incarico di eseguire anche la pala con la *Comunione degli Apostoli* per un giudizio severo nei confronti dell'opera sua: la causa del suo rientro a Firenze e della richiesta di altri artisti da parte della Compagnia sarà da ricercare piuttosto nella indisponibilità a fornire l'opera dichiarata dall'ormai anziano maestro, richiamato in patria dalle ragioni familiari attestate dalla 'portata' al Catasto del 1469 (Padoa Rizzo 1983).

La storia dolorosa e crudele dell'Ostia profanata è tratta dalla narrazione di un miracolo avvenuto a Parigi nel 1290 (Francastel 1952) ben noto anche in Italia e a Firenze in particolare, essendo narrato dal Villani e ripreso da Sant'Antonino vescovo (Aromberg Lavin 1967): nella predella di Paolo Uccello la storia si svolge in sei episodi, divisi tra loro da pilastrini a candelabra.

I documenti assicurano la presenza del figlio di Paolo Uccello, Donato, allora di circa sedici anni, accanto al padre in questa impresa, ma davvero difficile risulta il circoscriverne l'intervento, che certo non sarà mancato: d'altronde la destinazione e la committenza prestigiose richiedevano da parte di Paolo Uccello un continuativo impegno in prima persona anche nella stesura pittorica, oltre che nell'invenzione e nel disegno.

Il miracolo dell'Ostia profanata, particolari.

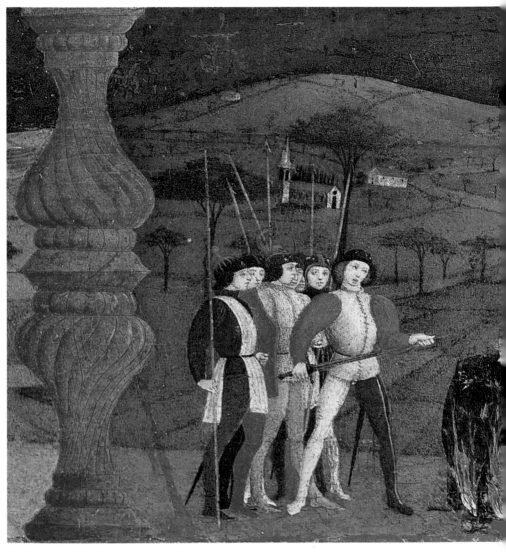

Il miracolo dell'Ostia profanata, particolare.

Il miracolo dell'Ostia profanata, particolare.

20.
Ritratto di dama (Battista Sforza?)

Tempera su tavola, cm 58 x 38
Già New York, coll. Lehman

Reca sul retro due scritte risalenti al secolo XVIII: "Ritratto di Battista Sforza, moglie di Federigo duca d'Urbino. Morì 1473", e ancora "dalla mano di Piero della Francesca".
Attribuito a Paolo Uccello da L. Venturi (1930) che lo data 1468, seguito dal Boeck (1939), Sindona (1957), Berti (1961) e Parronchi (1974), è stato variamente giudicato da altri studiosi (cfr. Tongiorgi Tomasi 1971). Come ha indicato il Sangiorgi (1976, p. 323) il dipinto può essere identificato con quello ricordato nell'*Inventario* del 1631 del Palazzo di Urbino come "quadri uno mezzano in tavola col retratto creduto della Duchessa Battistina, con cornici di noce profilate d'oro e bandinella": peraltro il profilo della dama corrisponde perfettamente al ritratto di Battista eseguito da Piero della Francesca nel dittico ora agli Uffizi.
Il cattivo stato di conservazione non esclude la lettura dell'opera, di altissima qualità nel rigore geometrico del nitido profilo, nella elegante preziosità della veste e dell'acconciatura, risolte con mirabile sintesi ed equilibrio; il gestire sofisticato delle mani aggiunge poi una nota personale al riserbo dignitoso del ritratto ufficiale: elementi tutti che perfettamente si accordano con l'attribuzione a Paolo Uccello nel momento del suo soggiorno urbinate (1465-1468).
Il dipinto non è menzionato nel recente catalogo della collezione Lehman curato dal Pope Hennessy (1987).

21.
San Giorgio e il drago

Tempera su tavola, cm 52 x 90
Parigi, Musée Jacquemart-André

Il dipinto, appartenuto alla collezione Bardini come dimostrato tra l'altro
da una foto risalente circa al 1890 della sala XV della Galleria Bardini
(Scalia-De Benedictis 1984, p. 102) fu venduto a Londra nel 1899.
Attribuito a Paolo Uccello dal Loeser (1898) che lo ritenne opera tarda, è
stato variamente giudicato sia dal punto di vista dell'autografia che della

datazione. Recentemente il Beck (1979) ha collegato il dipinto ad un nuovo documento, che lo certifica eseguito da Paolo Uccello nel 1465 per Lorenzo di Matteo Morelli, dietro compenso di sei fiorini larghi.

Il formato attuale non è quello originario, essendo stato il dipinto decurtato in alto e forse anche in basso: le dimensioni originarie ricavabili dal documento, che parla anche di una importante cornice intagliata, escludono che potesse trattarsi della fronte di un forziere, indicando piuttosto una sistemazione a 'spalliera'. La cronologia indicata dal Beck sulla base dell'inedito documento appare del tutto convincente, per gli stringenti rapporti stilistici con opere coeve di Paolo Uccello come la predella di Urbino e il *Ritratto di Battista Sforza* della collezione Lehman a New York.

22.
San Giorgio e il drago

Tempera su tela, cm 57 x 73
Londra, National Gallery

Già nella collezione Lanckoronski a Vienna. Acquistato nel 1959 dalla National Gallery, restaurato e pubblicato dopo il restauro dal Davies (1959) in un esauriente studio monografico, che si avvale di macrofotografie e di immagini all'infrarosso: queste ultime mettono in mostra il primitivo disegno, con varianti e 'pentimenti' specialmente nella figura della principessa; nella foto all'infrarosso essa appare assai più coerente con le figure femminili in profilo di Paolo Uccello, ed anche dotata di maggior risalto volumetrico. L'attribuzione a Paolo Uccello, indicata per la prima volta dal Loeser (1898) è stata recentemente ribadita da molti autorevoli studiosi, pur con differenti proposte di datazione (cfr. Tongiorgi Tomasi 1971, p. 98).
Riteniamo, d'accordo con il Beck (1979) che il dipinto di Londra sia più tardo della versione del Museo Jacquemart André (1465), e quindi da considerarsi frutto del periodo estremo dell'artista, dopo il 1470, come sembra indicare anche il supporto (la tela) scelto per esso, e la stretta vicinanza con opere quali la *Caccia* di Oxford, la *Crocifissione* Thyssen (Lugano), le *Storie eremitiche* (Firenze, Accademia) e l'*Adorazione* di Karlsruhe: opere tutte certo eseguite nell'ultimo tempo di Paolo Uccello, quando con lui già collaboravano il figlio Donato (nato c. nel 1451) e la figlia Antonia (nata nel 1456), alla quale forse appartengono in toto l'*Adorazione* di Karlsruhe e le *Storie eremitiche* (cat. 34, 35), secondo il parere del Parronchi (1974, pp. 64-68).

23.
Caccia al cervo

Tempera su tavola, cm 65 x 165
Oxford, Ashmolean Museum

Il dipinto reca sul *verso* l'iscrizione: "una caccia nelli Boschi di Pisa di Benozzo Gozzoli". Ciò ha fatto supporre al Salmi (1939), appoggiandosi a obliqui riferimenti alla poesia contemporanea, che si tratti di una caccia di Lorenzo il Magnifico: peraltro nella *Caccia* di Oxford non è reperibile alcun personaggio che possa identificarsi col Magnifico Lorenzo, mentre i membri della famiglia Medici amavano farsi ritrarre in modo riconoscibile nei dipinti da loro commissionati. È possibile, come ritiene anche il Parronchi (1974, pp. 47, 93) riprendendo una vecchia idea del Gronau espressa verbalmente ma riportata dal Salmi, che possa trattarsi della parte sinistra del "quadro uno in tavola lunga pinta di caccie: una del cervo et l'altra del porco cinghiale, nel mezzo vi è un ponte" ricordata nell'Inventario del 1631 del Palazzo Ducale di Urbino; probabilmente la stessa detta "una caccia al porco" nell'Inventario del 1596, e "un quadro antico d'una caccia" ricordato nell'Inventario del 1599, e ancora "tavola depinta con una caccia" presente nel Guardaroba nell'Inventario del 1609 (cfr. Sangiorgi 1976, pp. 49, 64, 183, 272), nonché come "una caccia in tavola di mano antichissima et eccellente, alta un palmo" ricordata in un foglio del Fondo Urbinate dell'Archivio di Stato di Firenze (cfr. Sangiorgi 1976, p. 64, nota 2): infatti in quest'ultimo ricordo la misura è certamente equivocata, essendo l'altezza di un palmo davvero troppo modesta per qualunque destinazione di una scena profana, che esclude l'uso di predella.
Essa poteva far parte dell'arredo di una stanza, come 'spalliera' dato il soggetto e le dimensioni, che escludono l'impiego come fronte di forziere: in questo senso tornerebbero interessanti le osservazioni del Wind riportate dal Lloyd (1977, pp. 172-175), secondo cui il pannello poteva far parte di una serie rappresentante i *Mesi*, basata sull'*Astronomicum* del poeta latino Manlio, noto nel primo Rinascimento. Questo tipo di decorazione, tradizionale presso le corti tardo gotiche ma anche presso i colti committenti rinascimentali, appare quanto mai adatto al gusto e alla mentalità di Federico da Montefeltro.
La distribuzione ritmica delle pose e dei colori, come anche il piglio spiritosamente narrativo e moderno, nonché la qualità altissima, sono elementi che accomunano la *Caccia* di Oxford alla predella col *Miracolo dell'Ostia* dipinta ad Urbino tra il 1467 e il 1469, certo per interessamento del duca Federico; ma il rapporto tra ambiente e figure e la composizione sapientemente orchestrata a moto centripeto fanno ritenere la *Caccia* frutto di un momento di ancor più profondo impegno, ben adatto alla destinazione, quanto mai illustre, ad una stanza personale del colto duca di Urbino.

24.
Crocifissione con la Vergine, San Giovanni Battista, San Giovanni Evangelista e San Francesco

Tempera su tavola, cm 46 x 67,5
Lugano, collezione Thyssen

Per le dimensioni è difficile ritenerla parte della predella di una pala d'altare, come è stata per lo più considerata (Tongiorgi Tomasi 1971; Borghero 1986, p. 324). La presenza dei due Santi anacronistici (Giovanni Battista e Francesco) la fanno ritenere eseguita per un convento francescano fiorentino.
L'attribuzione a Paolo Uccello del Van Marle (1928) è stata per lo più accettata dalla critica successiva (ma Pudelko 1935 e Pope Hennessy 1950 e 1969, la considerano opera del Maestro di Karlsruhe), discorde però sulla datazione (cfr. Tongiorgi Tomasi 1971).
Secondo il nostro parere si tratta di un'opera tarda di Paolo Uccello, posteriore alla predella di Urbino, eseguita con collaboratori (probabilmente identificabili con i figli pittori Donato e Antonia) che ne riprendono più volte i motivi in opere successive, come la tela con *Storie eremitiche* della Galleria dell'Accademia di Firenze (cat. 35), o il trittico con la *Crocifissione e Santi* della Galleria Knoedler di New York; ma con un fare minuto ed episodico, e con un ritmo compositivo affastellato, lontano dalla limpida chiarezza volumetrica e spaziale, dalla concentrazione sentimentale e dalla sottile ritmica gestuale che caratterizza questo importante dipinto.

25.
Ritratto di cinque uomini illustri

Tavola, cm 42 x 210
Parigi, Louvre

Il Vasari nella prima edizione delle *Vite* (1550) attribuisce la tavola, che allora apparteneva a Giuliano da Sangallo, a Masaccio; nella seconda edizione (1568) sposta l'attribuzione verso Paolo Uccello, e descrive il dipinto, con l'indicazione dei personaggi "segnalati" nei vari campi dell'arte. L'opera è giunta assai danneggiata e in parte ridipinta, ed è stata diversamente giudicata dagli studiosi (cfr. Tongiorgi Tomasi 1971). Se, come sembra probabile, l'immagine sottoscritta col nome di Paolo Uccello (le iscrizioni sono però moderne) è da ritenersi un autoritratto (Parronchi 1974, p. 94) esso non può riferirsi che alla tarda età del pittore, verso il 1470: ciò non è escluso dall'età degli altri personaggi, per i quali il pittore poteva servirsi, come fonte, di effigi di tempi diversi.

26.
Cristo in figura di cherubino

Affresco frammentario
Firenze, Santa Trinita

Si tratta dell'unico frammento superstite della storia delle *Stigmate di San
Francesco*, una delle tre scene della vita del Santo che il Vasari (1568)
descrive in Santa Trinita: "sopra alla porta sinistra dentro alla chiesa, in
fresco, storie di San Francesco, cioè il ricevere delle stimate, il riparare
della chiesa reggendola con le spalle e lo abboccarsi con San Domenico".
Il frammento, che secondo il Pope Hennessy (1969) ha solo valore
archeologico, fu riconosciuto dal Pudelko (1934, p. 157). In realtà,
malgrado lo stato frammentario e la ridipintura forse cinquecentesca del
corpo del Cristo - cherubino, il frammento appartiene certamente al
distrutto ciclo francescano ricordato dal Vasari: oltre che dalla
corrispondenza dell'ubicazione e dalla testimonianza concorde delle fonti
(cfr. Tongiorgi Tomasi 1971, p. 101) ciò è attestato dalla perfetta
corrispondenza dei soggetti; infatti dal sovrapposto cartiglio, anch'esso
frammentario, si ricava la presenza, al di sopra, della storia di San
Francesco che regge la chiesa: tra l'altro l'iscrizione presenta caratteri
paleografici simili a quelli usati da Paolo Uccello, ad esempio
nell'iscrizione del *Monumento all'Acuto* e dell'affresco con *Jacopone da
Todi* nel Duomo di Prato (cat. 4).

27.
Adorazione del Bambino con i Santi Gerolamo, Maria Maddalena e Eustachio

Tempera su tavola, cm 111 x 48,5
Karlsruhe, Staatliche Kunsthalle

Attribuita a Paolo Uccello dal Loeser (1898, pp. 89-90) è stata in seguito
per lo più ritenuta opera di scuola, ed è servita come fulcro per
l'isolamento dal corpus di Paolo Uccello di un gruppo di dipinti ritenuti
opera di un suo alter-ego, detto 'Maestro di Karlsruhe' (Pudelko 1935;
Carli 1954; Pope Hennessy 1969) o 'Maestro di Quarata' (Salmi 1934).
Recentemente il Parronchi (1974) prospetta la meditata ipotesi che possa
trattarsi dell'opera di Antonia, la figlia di Paolo Uccello nata nel 1456 e
morta nel 1491, monaca carmelitana della quale il Vasari (1568) dice che
"sapeva disegnare" e che nel Libro dei Morti di Firenze è detta
"pitoressa": lo studioso fonda la sua plausibile identificazione sull'analisi
del gruppo di dipinti riferiti al Maestro di Karlsruhe o di Quarata in
connessione ad una tavoletta delle Gallerie fiorentine, proveniente da San
Donato in Polverosa e databile al 1481, rappresentante la *Monacazione di
una fanciulla Vecchietti*, la cui iscrizione sembra indicarne l'autore nella
figlia di Paolo Uccello. Bisogna però avvertire che l'iscrizione è mutila
nelle parole iniziali in cui dovrebbe riconoscersi la firma di Antonia.
Il dipinto di Karlsruhe è molto particolare: il raro formato e la presenza,
anch'essa anomala, dei tre Santi in adorazione nella parte inferiore di
esso, nonché l'ambientazione inusuale della scena principale, non sono
stati spiegati dalla critica, che si è per lo più fermata ad una analisi
formale del dipinto, senza porsi il problema della destinazione.
Nell'accuratissimo dipinto sono riscontrabili alcune scorrettezze di
disegno: nel bue e l'asino inginocchiati in difficile posa, che ripetono i ben
altrimenti solenni animali del frammentario *Presepe* di Bologna (cat. 8);
nella posa del San Giuseppe, ripreso dalla analoga figura, ma corretta e
articolata, della predella di Quarata (cat. 18). Questi elementi indicano la
derivazione diretta da dipinti di momenti diversi di Paolo Uccello ad
opera di un artefice ben informato sui suoi lavori, minore di lui, ma
dotato di caratteri propri (si veda il modo di panneggiare, assai franto, del
tutto diverso da quello di Paolo Uccello), che trova anche qualche
momento poetico nella esaltazione grafica lucidissima di alcuni brani: gli
angeli osannanti in volo, la palma prospettica, la preziosità dei profili e
dei colori. L'opera può datarsi, per ragioni stilistiche, poco dopo il 1470,
quando Paolo Uccello era ancora in vita, ma "vecchio e senza
inviamento"; è ragionevole quindi ritenerla eseguita da uno dei suoi figli
pittori, che eredita lo spirito sottile, a tratti ironico, dei suoi dipinti più
avanzati: si può pensare con Parronchi (1974) ad Antonia, la cui
monacazione dovette però essere assai precoce, precedente il 1469 non
essendo ella ricordata nel Catasto di Paolo Uccello di tale anno; il dipinto
è pervaso da uno spirito di grazia mondana oltre che di candore, che
scomparirà nelle opere che ragionevolmente si possono aggregare ad
essa, in tempi un poco più avanzati, secondo la proposta del Parronchi: la
Madonna già Hyland, la *Crocifissione e Santi* Knoedler, la *Monacazione di
una fanciulla Vecchietti* delle Gallerie fiorentine, le *Scene eremitiche*
dell'Accademia (cat. 28). Non si può escludere, d'altronde, che si tratti
invece di Donato (nato nel 1451-52), il figlio che accompagnò Paolo
Uccello a Urbino e che dal testamento del padre (1475) e dalla 'portata' al
Catasto del 1480 risulta erede dei beni della famiglia, condividendo con la
madre inferma la casa paterna: alla sua personale attività, che dal Catasto
del 1480 risulta modesta, il Parronchi riferisce la *Madonna col Bambino e
due angeli*, vicina al gruppo precedentemente indicato (cat. 32).

28.
Scene di vita eremitica

Tela, cm 80 x 109
Firenze, Galleria dell'Accademia

Proveniente dal monastero dello Spirito Santo alla Costa San Giorgio,
vallombrosano, ma probabilmente eseguito per il contiguo monastero di
San Girolamo e San Francesco sulla Costa, che nel XV secolo
apparteneva alle Pinzochere di San Girolamo, dell'ordine di San
Francesco (A. Malquori 1990, p. 128). Trasferito all'Accademia con le
Soppressioni (1810), da dove passò agli Uffizi nel 1853 (depositi) per
tornare all'Accademia in seguito (Micheletti 1954). Fu indicato come opera
della bottega di Paolo Uccello dal Gamba (1909, p. 19), dopo di che
spesso riferito al maestro stesso o come opera giovanile (Boeck 1931;
idem, 1939, pp. 10-14, 110; Marangoni 1931-32, pp. 335-337) o come
opera tarda (Salmi 1939, pp. 154-56; Berti 1961, p. 304).
Il Pope Hennessy (1969, pp. 172-173), come già il Gamba, lo considera
parte del gruppo 'Maestro di Karlsruhe'.
Riguardo al soggetto, il Parronchi (1964, pp. 523-24; *idem*, 1974, pp.
64-68) avanza l'ipotesi che si tratti dell'illustrazione riassuntiva del *De
Oculo Morali* di Pierre de Lacepierre de Limoges: un soggetto che si
legherebbe bene con la provenienza conventuale, ed anche con la

proposta di riconoscervi l'opera di Antonia, la figlia suora e pittrice di
Paolo Uccello, morta nel 1491 e certo monacata assai giovane, non
essendo ricordata tra i componenti della famiglia nella 'portata' al Catasto
di Paolo del 1469 né in quella di Donato del 1480. Sembra però credibile
l'interpretazione del dipinto come esempio della "via di perfezione"
proposta recentemente da A. Malquori (1990, pp. 128-130), che nota
molto opportunamente come il dipinto sia stato mutilato sui quattro lati,
non si sa per quale estensione.
Il dipinto mostra riprese puntuali da varie opere di Paolo Uccello (la
predella di Urbino, la *Crocifissione* Thyssen, il *San Giorgio* Jacquemart
André e quello di Londra) e contatti precisi con il gruppo del Maestro di
Karlsruhe al quale può aggregarsi come esito ultimo, vicino alla *Madonna
col Bambino* già in collezione Hamilton.
A nostro parere sarà dunque stato eseguito non prima del 1480 da parte
di uno dei figli pittori di Paolo Uccello, utilizzando e giustapponendo idee
e forse disegni del padre rimasti in gran numero in casa anche dopo la
sua morte, secondo la testimonianza del Vasari: "lasciò a' suoi parenti,
secondo che da loro medesimi ho ritratto, le casse piene di disegni".

29.
Madonna col Bambino

Tempera su tavola, cm 47 x 34
Malibu, Paul Getty Museum

Già nella collezione Hyland, Greenwich, dalla quale passò nel 1970 nell'attuale ubicazione (Fredericksen 1972, p. 13).
Pubblicata dalla Micheletti (1954) riportando pareri del Toesca, del Salmi e del Longhi, che la ritenevano autografa, ma proponendo datazioni assai diverse; il Berti (1961) accoglie l'attribuzione, e il Pope Hennessy (1969) riunisce l'opera al gruppo detto 'Maestro di Karlsruhe', ritenendola tarda; il Parronchi (1974) la ritiene possibile opera della figlia pittrice di Paolo Uccello, Antonia, alla attività della quale riferisce buona parte del gruppo 'Maestro di Karlsruhe': opinione quest'ultima che condividiamo nella sostanza, avvertendo però della necessità di considerare la presenza accanto a Paolo Uccello oltre che della figlia (nata nel 1456 e assai presto monacatasi) anche di Donato (nato nel 1451-52 e già al tempo della predella di Urbino, 1467-68, documentato al suo fianco): ciò può spiegare l'eterogeneità del gruppo 'Maestro di Karlsruhe', già denunciata dal Davies (1959).

30.
Madonna col Bambino

Tempera su tavola, cm 58 x 41
Raleigh, Museum of Art (coll. Kress)

La molto consunta tavola appartenne in precedenza alle collezioni Chiesa
di Milano e Contini Bonacossi di Firenze. Esposta alla *Mostra di Quattro
Maestri del Primo Rinascimento* a Firenze (1954) con l'attribuzione a
Paolo Uccello, opinione espressa dal Ragghianti (1938) e ripresa dal Berti
(1961) che propone una datazione verso il 1435-45. Il Parronchi (1974)
propone di vedervi un'opera giovanile del Baldovinetti, che si sarebbe
formato nell'ambito uccellesco, staccando questo dipinto dal gruppo detto
'Maestro di Karlsruhe' (cui in realtà non è del tutto pertinente), da lui
proposto come pertinente in gran parte ad Antonia di Paolo.
Secondo il nostro parere la tavoletta Kress, databile verso il 1470-75,
potrebbe essere riferita alla tarda bottega di Paolo Uccello in cui lavorava
ormai largamente anche il figlio Donato, riprendendo pensieri ed esempi
del padre: la loro traduzione in tono minore e più episodico, con una
grafia puntigliosa e precisa, ma in certi tratti anche vivace, sembra col
tempo irrigidirsi sempre più, fino ad arrivare al punto della *Madonna col
Bambino e due angeli* ex Hamilton. L'attività di Donato dovette essere
sostanzialmente modesta: nel Catasto del 1480 denuncia, certo non solo
per opportunismo, una situazione familiare difficile, affiancata al
conseguente restringersi della attività, che possiamo credere sempre più
rivolta verso l'artigianato anche negli anni seguenti, fino alla morte
sopraggiunta nel 1497, forse nella violenta ondata di peste che in
quell'anno funestò Firenze e la Toscana.

31.
Madonna col Bambino

Tavola, cm 60 x 42
Berlino, Staatliche Museen

Attribuita a Paolo Uccello dal Ragghianti (1938, p. 24), seguito dal Beryi
(1961, p. 303) che la data c. 1443. Pope Hennessy (1969, p. 171) la
accosta alla *Madonna col Bambino* di Raleigh (North Carolina Museum of
Art, coll. Kress) avvertendo che l'oro del fondo è stato sostituito.
Parronchi (1974, pp. 60-63) propone la tavola nel gruppo da lui formato
come pertinente alla giovinezza del Baldovinetti.

32.
Madonna col Bambino e due angeli

Collezione privata (già coll. Hamilton, New York 1938)

La tavola fu pubblicata dal Van Marle (1932) come autografo di Paolo
Uccello; attribuzione accolta dal Berti (1961), ma respinta dal Pope
Hennessy (1969, p. 170) che la ritiene possibile lavoro del Maestro di
Karlsruhe e dal Parronchi (1974) che la riferisce dubitativamente a
Donato di Paolo: opinione che condividiamo, ritenendo possibile per essa
una datazione assai avanzata, anche dopo la morte di Paolo Uccello,
quando l'attività di Donato è in recessione, come si apprende dal Catasto
del 1480, puntuale e pignolo sia nella grafia che nel contenuto, come
risulta essere anche questo dipinto, non lontano peraltro dal gruppo
principale denominato 'Maestro di Karlsruhe', in buona parte
identificabile, secondo il Parronchi, con l'attività di Antonia di Paolo.

DISEGNI

I disegni riferibili a Paolo Uccello sono pochi: per questa ragione ci è sembrato opportuno includerli in appendice al presente catalogo, che risulta così completo.

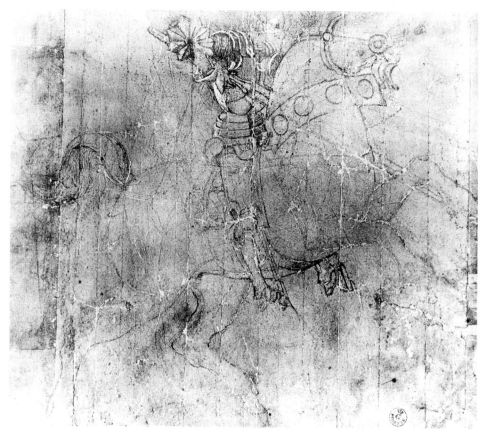

1A
Studio per un guerriero a cavallo

*Disegno a penna e punta d'argento, lumeggiato di biacca, su carta
preparata verde, cm 30 x 33*
Firenze, Uffizi, Gabinetto Disegni e Stampe, n. 14502F

L'autografia del disegno, riconosciuta per primo dal Ferri (1890, p. 148)
non è mai stata messa in dubbio (cfr. Degenhart-Schmitt 1968, p. 395;
Pope Hennessy 1969, pp. 16, 141; Tongiorgi Tomasi 1971, p. 100;
Parronchi 1974, p. 91). Più difficile precisare di quale opera possa
ritenersi lo studio preparatorio: una precisa corrispondenza manca con gli
episodi della *Battaglia di San Romano* cui è stato più volte accostato,
tanto da indurre il Berenson (1938), seguito dal Pope Hennessy (1969) ad
indicarlo piuttosto come studio per le perdute *Battaglie* di casa Bartolini,
ricordate dal Vasari: ipotesi peraltro non verificabile.
D'altronde, rispetto alla tavola col *San Giorgio che libera la principessa*

del Museo Jacquemart-André a Parigi, il cavaliere del disegno risulta collocato in controparte e rappresentato in un atteggiamento assai più drammaticamente dinamico.
Il disegno risulta completamente traforato nei contorni per consentire l'uso dello 'spolvero' (Procacci 1960).

2A
Studio per il monumento a Giovanni Acuto

Disegno a punta d'argento e tempera con lumeggiature di biacca, su carta preparata, quadrettata, cm 46 x 33
Firenze, Uffizi, Gabinetto Disegni e Stampe, n. 31F

Secondo il Procacci (1960) si tratta del primo esempio di disegno eseguito su una quadrettatura apprestata precedentemente al disegno stesso. Lo stato di conservazione non è buono, essendo il foglio anche manomesso e male riattaccato su un nuovo fondo (Schmitt 1959).
Risulta già riferito a Paolo Uccello dal Ferri (1890) e poi da tutti gli studiosi, che ne danno positive interpretazioni, ad eccezione del Berenson che ne denuncia il cattivo stato di conservazione (cfr. Tongiorgi Tomasi 1971; Degenhart-Schmitt 1968, I, 2, pp. 383-86).

3A
Angelo

Disegno su carta preparata giallina, a matita e in parte ripassato a penna, con lumeggiature di biacca. Ad esso è sovrapposto un disegno per un recipiente a conca, cm 26 x 24
Firenze, Uffizi, Gabinetto Disegni e Stampe, n. 1302 E

La puntinatura indica l'impiego per lo 'spolvero'.
Stilisticamente avvicinabile alle opere oltre la metà del secolo di Paolo Uccello, sembrerebbe rappresentare, come già indicato dal Boeck (1939) l'arcangelo Michele in una *Cacciata dall'Eden*, poiché reca nella mano sinistra il fodero, vuoto, della spada, presumibilmente impugnata con la destra sollevata.
È stato messo in relazione anche con la *Madonna col Bambino e San Francesco* di Allentown (cat. 17).
L'attribuzione a Paolo Uccello non trova concordi tutti gli studiosi, che talvolta assegnano il disegno al gruppo 'Maestro di Karlsruhe' (Pope Hennessy 1969) o ad altri (Berenson 1938): per un chiaro resoconto, cfr. Degenhart-Schmitt 1968, I, 2, pp. 405-406; Tongiorgi Tomasi 1971, p. 100.

2A

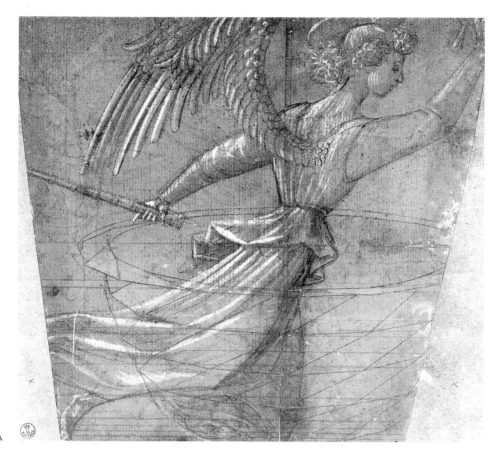

A

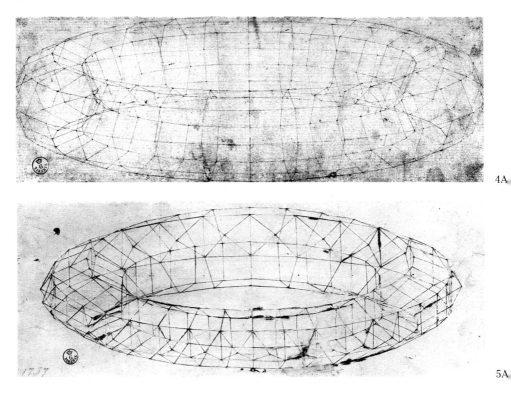

4A

5A

4A
Studio prospettico per mazzocchio

Disegno a penna su carta bianca, cm 9 x 24
Firenze, Uffizi, Gabinetto Disegni e Stampe, n. 1756 A

Si tratterà di uno dei tanti studi prospettici che, a dire del Vasari, tennero occupato Paolo Uccello per la maggior parte della sua vita, nella ricerca continua di difficoltà sempre più accentuate. Il Vasari stesso afferma di possedere studi di questo tipo nel suo "Libro di disegni", recentemente ricostruito dalla Collobi Ragghianti (1974). L'autografia uccellesca è riconosciuta unanimemente dagli studiosi (cfr. Degenhart-Schmitt 1968, I, 2, pp. 403-404; Tongiorgi Tomasi 1971, p. 100).

5A
Studio prospettico per mazzocchio

Disegno a penna su carta bianca, cm 10 x 27
Firenze, Uffizi, Gabinetto Disegni e Stampe, n. 1757 A

Anche questo, come il precedente, appartiene ai difficili studi prospettico -
geometrici di Paolo Uccello, di cui il Vasari parla estesamente nella sua
Vita del pittore (1568).

6A
Disegno prospettico di un calice

Disegno a penna su carta bianca, cm 34 x 24
Firenze, Uffizi, Gabinetto Disegni e Stampe, n. 1758 A

Studio prospettico assai complesso e rigoroso, generalmente attribuito a
Paolo Uccello (cfr. Pope Hennessy 1969, pp. 155-156; Tongiorgi Tomasi
1971, p. 100), ma dal Parronchi (1961) piuttosto a Piero della Francesca
per l'estrema conseguenzialità razionale, lontana dalla maniera più
fantastica e bizzarra tenuta da Paolo Uccello nei suoi studi prospettici,
descritti dal Vasari: questa interpretazione non è stata accolta nel recente
studio del Rossi (1979) che ribadisce l'attribuzione del disegno a Paolo
Uccello, e prende le mosse da esso per dare una rilettura della
'prospettiva' applicata dal pittore, e del significato ad essa attribuibile.

7A
Testa virile in profilo verso sinistra con turbante

Disegno, cm 29 x 20
Firenze, Uffizi, Gabinetto Disegni e Stampe, n. 28 E

Disegno già attribuito a Paolo Uccello dal Ferri (1890; cfr. Petrioli Tofani
1986, I) e accolta dalla maggior parte della critica (cfr. Tongiorgi Tomasi
1971, p. 100). La qualità eccezionale fa pensare ad un autografo, sebbene
non sia possibile trovare, nei dipinti di Paolo Uccello, altri esempi di così
immediata vivezza e naturalezza ritrattistica, se non, forse, nel volto
intenso del condottiero (Niccolò da Tolentino) al centro del pannello
londinese della *Battaglia di San Romano*.

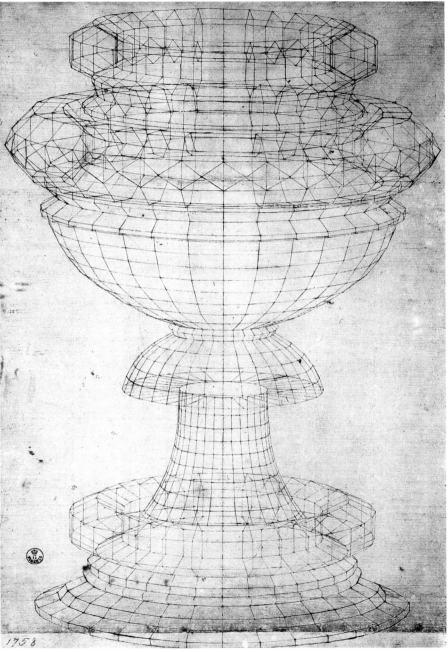

1758

6A

7A

OPERE PERDUTE

Si elencano qui di seguito le opere di Paolo Uccello che, citate dalle fonti o testimoniate dai documenti, sono da ritenere perdute.

Sant'Antonio Abate tra i Santi Cosma e Damiano

Nicchia affrescata
Firenze, Spedale di San Matteo (o di Lelmo)

Ricordata dal Vasari (1568) come opera giovanile di Paolo Uccello.

Due figure

Affresco (?)
Firenze, Monastero di Annalena

Ricordate dalle fonti prevasariane (Billi, Anonimo Magliabechiano) e dal Vasari (1568). Non si conosce l'iconografia.

Annunciazione

Affresco
Firenze, Santa Maria Maggiore, cappella Carnesecchi

Ricordata dall'Albertini (1510) e dal Vasari (1558). Non accettabile l'ipotesi del Parronchi (1974) di identificazione con l'*Annunciazione* ex Goldmann (Washington, National Gallery) di Masolino.

Dossale dei Santi Cosma e Damiano

Firenze, Santa Maria del Carmine, cappella di San Gerolamo, della famiglia Pugliesi

Ricordato dal Vasari (1568). Non ritenibile l'identificazione del Parronchi (1974) con la *Tebaide* degli Uffizi, già attribuita allo Starnina.

Alcune storie di animali

Tela
Firenze, Casa Medici

Vasari (1568) cita "alcune storie di animali" in tela.
Nell'Inventario dei beni steso alla morte di Lorenzo il Magnifico (1492) è ricordata una battaglia di draghi e leoni di Paolo Uccello, e in quello del 1598 è citata una battaglia di un leone e un serpente (cfr. Tongiorgi Tomasi 1971, p. 101).

Storia di Paride

Firenze, Casa Medici

Ricordata nell'Inventario del 1492 dei beni di Lorenzo il Magnifico (cfr. Tongiorgi Tomasi 1971, p. 101).

Storie di San Benedetto

Affreschi in terra verde
Firenze, Monastero degli Angeli, chiostro

Ricordati dal Billi e Anonimo Magliabechiano (1516-30; 1520-40) e descritti dal Vasari (1568) (cfr. Tongiorgi Tomasi 1971, p. 101).

Quattro episodi di battaglie

Tavole
Firenze, Casa Bartolini in via Gualfonda, terrazzo

Quadri "racconciati" da Giuliano Bugiardini, descritti dal Vasari (1568) (cfr. Tongiorgi Tomasi 1971, p. 101).

I quattro elementi

Affreschi
Firenze, volta dei Peruzzi

Descritti dal Vasari (1568).

Incredulità di San Tommaso

Affresco
Firenze, chiesa di San Tommaso in Mercato Vecchio, facciata

Opera ricordata dalle fonti prevasariane e dal Vasari (1568), che la indica come opera estrema di Paolo Uccello, criticata fortemente da Donatello.

Annunciazione

Vetrata
Firenze, Cattedrale di Santa Maria del Fiore

Cartone pagato il 10 febbraio 1444-45 (cfr. Poggi 1909, ed. Haines 1988, I, p. 143). Opera distrutta nel 1828.

Tabernacolo di San Giovanni e di Nostro Signore

Firenze

Opera pagata nel 1450 dall'arte di Calimala o dei Mercanti. ASF, Carte Strozziane, n. 51, cc. 43, III (Quaderni di Ricordi O, dal 1450 al 1453); cfr. Firenze, Fondazione Horne, Spogli G.VI.I.

Il beato Andrea Corsini

Affresco (?)
Firenze, chiesa di San Pietro in Celoro (Libreria del Duomo)

Opera pagata 30 lire il 30 giugno 1453: "Paulo Doni pictori libras triginta piccioli pro parte sui magisteri unius figure beati Andree picte in libraria". Archivio dell'Opera del Duomo, Deliberazioni dal 1450 al 1454, c. 113, cfr. Poggi, 1933, p. 336.

Tavola

Firenze

Pagamenti del dicembre 1451 e del febbraio 1452 da parte di Jacopo e Giovanni di Orsino Lanfredini. In tutto Paolo Uccello viene pagato 8 fiorini, 10 soldi, 6 denari. Cfr. Archivio dello Spedale degli Innocenti, Estranei 264, c. 100 (cfr. Hartt-Corti 1962).

Dipinti non specificati

Firenze, Casa Rucellai

Opere non specificate nel soggetto e nel numero, ricordate nello *Zibaldone* di Giovanni Rucellai (ed. a cura di A. Perosa, London 1960).

Crocifisso

Affresco
Firenze, San Miniato al Monte, refettorio del convento

Documentato nel 1455, con la collaborazione di Antonio di Papi (cfr. A. Fortuna 1957, p. 13).

Uomini illustri

Affreschi in terra verde
Padova, Casa Vitaliani

Databili al 1445-46 ca. Ricordati dal Michiel (1543) e dal Vasari (1568) come figure di formato gigantesco, assai stimate dai contemporanei.

San Pietro

Mosaico
Venezia, Basilica di San Marco, facciata

Databile al 1425. Ricordato nella lettera del 23 marzo 1432 degli Operai di Santa Maria del Fiore all'ambasciatore fiorentino Piero Beccanugi come eseguito nel 1425. Il Salmi (1950) individuò il *San Pietro* di Paolo Uccello nella facciata della basilica marciana riprodotta da Gentile Bellini nel suo dipinto con la *Processione in piazza San Marco* (Venezia, Gallerie dell'Accademia).

BIOGRAFIA

Paolo Uccello nacque a Firenze nel 1397 da Dono di Paolo, barbiere e cerusico di Pratovecchio, cittadino fiorentino dal 1373, e da Antonia di Giovanni di Castello del Beccuto, appartenente ad una nobile e ricca famiglia fiorentina, proveniente da Perugia.
La prima notizia concernente la sua vita artistica riguarda l'apprendistato presso il Ghiberti: infatti il nome di Paolo di Dono compare due volte nell'elenco dei collaboratori alla porta Nord del Battistero, assunti o confermati col secondo contratto stipulato il 5 giugno 1407: data che ha solo valore di termine *post quem* (cfr. *Introduzione*).
Nel 1414 Paolo si iscrive alla Compagnia di San Luca, e l'anno seguente, il 15 ottobre 1415, si immatricola all'Arte dei Medici e Speziali, senza pagarne la tassa essendo stato iscritto a tale arte anche suo padre a partire dal 1365.
Ciò sancisce la sua raggiunta autonomia artistica, ad una età che può considerarsi normale per un giovane del tempo, specialmente considerando che, essendo orfano, dovette essere responsabile in prima persona appena raggiunta l'età competente.
Abita adesso nel popolo di Santa Maria Nepoticosa, Quartiere San Giovanni Gonfalone Drago Verde: Paolo rimarrà sempre accatastato in questo Quartiere e Gonfalone, anche quando cambierà il suo domicilio.
Del 1416 è la sua prima opera superstite, il tabernacolo di Lippi e Macia appartenente ad una villa della famiglia Bartoli.
Il 5 agosto 1425 Paolo Uccello stende il suo primo testamento (rogato da Ser Matteo di Domenico Sofferoni) in vista della partenza per Venezia: adesso abita nel popolo di Santa Maria Novella.
Il soggiorno veneziano dura almeno cinque anni, fino all'inverno 1430-31, poiché la 'portata' al secondo Catasto, del 31 gennaio 1430 (stile comune 1431) è autografa, a differenza di quella del 1427, redatta dal suo parente e procuratore Deo di Deo Beccuti (cfr. *Introduzione*).
D'ora in poi Paolo risiede e lavora prevalentemente a Firenze, sebbene siano da registrare soggiorni a Prato (1435-36) per la decorazione a fresco della cappella dell'Assunta nel Duomo, e a Bologna (*ante* 1437), per eseguire un affresco (forse unica parte superstite di una decorazione più vasta?) in San Martino Maggiore, nonché a Padova dove lavora in casa Vitaliani (c. 1445-46); il più tardo soggiorno in Urbino (1465-1469) non fu continuativo, ma articolato in almeno due momenti.
Dalla 'portata' al Catasto del 1433 Paolo risulta abitare in una casa posta "in champo Corbolini", in affitto da monna Chiara di Jacopo da Pistoia, per la quale paga nove fiorini l'anno.
L'anno successivo (1434) compra una casa in via della Scala, nel popolo di Santa Lucia d'Ognissanti, per 110 fiorini, da Lorenzo di Piero Lenzi, secondo che si apprende dalla 'portata' al Catasto del 1442.
Nel 1436 esegue in terra verde il monumento equestre a Giovanni Acuto in Santa Maria del Fiore, che firma "PAULI UGIELLI OPUS": una firma simile si ritrova anche nel pannello degli Uffizi con la *Battaglia di San Romano*.
Nel 1437-38 risulta ascritto alla Compagnia di San Girolamo.
Almeno dal 1442 tiene in affitto dalla Parte Guelfa, per sei fiorini l'anno, una

bottega in via delle Terme, per l'esercizio della sua arte; in seguito (non si può precisare da quando) avrà bottega in piazza San Giovanni, secondo la sua dichiarazione al Catasto del 1457: "la quale tengo solo di Lorenzo sensale paghone l'anno fiorini quattro et una ocha ne la quale mi riparo a dipigniere". Tra il 1443 e il 1445 è occupato a lavorare per la Cattedrale fiorentina: esegue l'*Orologio* e i cartoni per tre vetrate.

I documenti ci fanno conoscere alcune opere perdute del 1450 (un tabernacolo pagato dall'Arte dei Mercatanti), del 1451 (una tavola per Jacopo e Giovanni di Orsino Lanfredini) e del 1453 (una figura del Beato Andrea Corsini per la Libreria del Duomo), nonché una sua consulenza per la stima di un tabernacolo affrescato da Stefano d'Antonio di Vanni nel popolo di Santa Margherita a Montici (1451).

In questo tempo, Paolo Uccello ormai più che cinquantenne sposa Tommasa di Benedetto Malefici, che nel Catasto del 1457 è detta di 25 anni: da lei ha due figli, Donato, che nel Catasto del 1457 è detto "mio figliuolo e figliuolo di sopradetta monna Tomasa d'età d'anni 6", e Antonia "mia figliuola et figliuola di sopradetta monna Tomasa d'età d'anni uno e mesi quattro": infatti fu battezzata il 13 ottobre 1456 (cfr. *Introduzione*).

Poche le notizie che riguardano gli anni successivi: nel 1465 esegue il *San Giorgio* per Lorenzo di Matteo Morelli; nello stesso 1465 e poi nel 1467-69 è ricordato a Urbino col figlio Donato, dove lavora presumibilmente per la corte ducale e con certezza per la Compagnia del Corpus Domini. L'8 agosto 1469 compila la 'portata' al Catasto, in cui lamenta la propria vecchiezza; gli è vicino il figlio Donato, mentre la figlia non è più ricordata poiché già suora.

In data 11 novembre 1475 Paolo Uccello detta il suo secondo testamento, davanti al notaio ser Pace di Bombello di Pace "sanus [...]mente et intellectu[...]languens[...] in domo habitationis dicti Pauli", avendo per testimoni Ser Loteringio di Giovanni della Stufa, Ser Lazzaro di Simone Stefani prete e rettore di San Michele, ser Marco di Lorenzo Meringhi prete e cappellano in Sant'Ambrogio, ed altri.

Morì un mese più tardi, il 10 dicembre, e secondo la sua volontà fu sepolto in Santo Spirito, come risulta dal Libro dei Morti: "Pagolo di Dono dipintore riposto in Santo Spirito. 12 dicembre 1475".

INDICE TOPOGRAFICO

BIBLIOGRAFIA

Indichiamo, per necessità di spazio, solo i titoli citati nel presente volume, in ordine cronologico, per quanto riguarda la bibliografia uccellesca fino al 1974, anno della pubblicazione del volume di A. Parronchi, corredata di esauriente bibliografia, cui rimandiamo. Si raccoglie invece la più ampia bibliografia possibile per gli anni seguenti a tale data.

1494-97   A. Manetti, *Vite di XIV uomini singulary in Firenze dal MCCCC innanzi*, ed. P. Murray, in "The Burlington Magazine", XCIX 1957, pp. 330-336.

1510   F. Albertini, *Memoriale di molte statue et picture che sono nella inclita città di Florentia*, Firenze.

1516-30   A. Billi, *Il libro*, ed. C. Frey, Berlin 1892.

1520-40   Anonimo Magliabechiano, ed. C. Frey, Berlin 1892.

1543c.   M. Michiel, *Notizia d'opere di disegno*, ed. C. Frizzoni, Bologna 1884.

1568   G. Vasari, *Le Vite...*, ed. Istituto Geografico De Agostini, Novara 1967, II. Ed. G. Milanesi, Firenze 1878, II.

1755-62   G. Richa, *Notizie istoriche delle chiese fiorentine*, Firenze.

1839   G. Gaye, *Carteggio inedito di artisti*, Firenze, I.

1822   L. Pungileoni, *Elogio storico di Giovanni Santi*, Urbino.

1846   F. Baldanzi, *Della chiesa cattedrale di Prato*, Prato.

1885   C. Frey, *Die Loggia dei Lanzi zu Florenz*, Berlin.

1886   A. Schmarsow, *Melozzo da Forlì*, Berlin-Stuttgart.

1890   P.N. Ferri, *Catalogo riassuntivo della raccolta di disegni antichi e moderni posseduta dalla R. Galleria degli Uffizi di Firenze*, Roma.

1898   C. Loeser, *Paolo Uccello*, in "Repertorium für Kunstwissenschaft", XXI, pp. 83-94.

1901   H.P. Horne, *The Battle-Piece by Paolo Uccello in the National Gallery*, in "The Montley Rewiew", p. 114.

1904   O. Siren, *Di alcuni pittori fiorentini. Andrea di Giusto*, in "L'Arte", VII, pp. 342-345.

1905   H. Horne, *Andrea del Castagno*, in "The Burlington Magazine", VII, pp. 222-233.

1906-7   G. Carocci, *I dintorni di Firenze*, Firenze, II.

1909   C. Gamba, *Di alcuni quadri di Paolo Uccello o della sua scuola*, in "Rivista d'Arte", VI, pp. 19-30.

[1909]   G. Poggi, *Il Duomo di Firenze*, ed. M. Haines, Firenze 1988, 2 voll.

1928   R. Van Marle, *Eine Kreuzigung von Paolo Uccello*, in "Pantheon", I, p. 242.

1928-29   R. Longhi, *Ricerche su Giovanni di Francesco*, in "Pinacotheca", I, pp. 34-48.

1929   *La Peinture au Musée du Louvre* (Catalogo), *II, Ecoles Etrangères*, Paris.

1930   M. Marangoni, *Gli affreschi di Paolo Uccello a San Miniato al Monte*, in "Rivista d'Arte", XII, pp. 403-420.
          L. Venturi, *Paolo Uccello*, in "L'Arte", XXXIII, pp. 52-68.

1931   W. Boeck, *Ein Frühwerke von Paolo Uccello*, in "Pantheon", VIII, pp. 276-281.

1931-32   M. Marangoni, *Una predella di Paolo Uccello*, in "Dedalo", XII, pp. 329-346.

1932   B. Berenson, *Italian Pictures of the Renaissance*, Oxford.
          R. Van Marle, *Ein unbekannte Madonna von Paolo Uccello*, in "Pantheon", IX, pp. 76-80.

1933   G. Poggi, *Paolo Uccello e l'orologio di Santa Maria del Fiore*, in "Miscellanea Supino" (a cura della "Rivista d'Arte"), pp. 323-336.

1933-34   C. Gamba, *La Mostra del Tesoro di Firenze Sacra*, in "Bollettino d'Arte", XXVII, pp. 55-56.

L. Serra, *Mostra del Tesoro di Firenze Sacra*, in "Bollettino d'Arte", XXVII, p. 45.

1934   A. Badiani, recensione a M. Salmi, *Paolo Uccello, Domenico Veneziano, Piero della Francesca...*, in "Archivio Storico Pratese", XII, fasc. III, pp. 97-102.

W. Paatz, *Una Natività di Paolo Uccello e alcune considerazioni sull'arte del maestro* in "Rivista d'Arte", XVI, pp. 111-148.

G. Pudelko, *The Early Works of Paolo Uccello*, in "The Art Bulletin", XVI, pp. 231-259.

M. Salmi, *Aggiunte al Trecento e Quattrocento fiorentino*, in "Rivista d'Arte", XVI, pp 168-186.

1934-35   M. Salmi, *Paolo Uccello, Domenico Veneziano, Piero della Francesca e gli affreschi del Duomo di Prato*, in "Bollettino d'Arte", XXVIII, pp. 1-27.

1935   G. Pudelko, *Der Meister der Anbetung in Karlsruhe*, in "Goldschmidt Festschift", Berlin, pp. 123-130.

1936   J. Lavalleye, *Juste de Gand, peintre de Frédéric de Montefeltro*, Lovanio.

G. Pudelko, *Un Unknown Holy Virgin panel by Paolo Uccello*, in "Art in America", XXIV, pp. 127-134.

M. Salmi, *Paolo Uccello, Andrea del Castagno, Domenico Veneziano*, Roma.

1938   B. Berenson, *The Drawings of the Florentine Painters*, Chicago-London, II ed. 1970.

C.L. Ragghianti, *Intorno a Filippo Lippi*, in "Critica d'Arte", III, pp. 22-25.

1939   W. Boeck, *Paolo Uccello*, Berlin.

1940   R. Longhi, *Fatti di Masolino e di Masaccio*, in "Critica d'Arte", XXV-XXVI, pp. 145-191.

1950   L. Belloni, *L'ischiopago tripode trecentesco dello Spedale fiorentino di Santa Maria della Scala*, in "Rivista di Storia delle Scienze mediche e naturali", XLI, n. 1.

J. Pope Hennessy, *Paolo Uccello*, London.

M. Salmi, *Riflessioni su Paolo Uccello*, in "Commentari", I, pp. 22-23.

1952   G. Kaftal, *The iconography of the Saints in Tuscan Painting*, Firenze.

P. Francastel, *Un mystère parisien illustré par Uccello*, in "Révue archeologique", XXXIX, pp. 180-191.

R. Longhi, *Il 'Maestro di Pratovecchio'*, in "Paragone", n. 35, pp. 10-37.

W. e E. Paatz, *Die Kirchen von Florenz*, Frankfurt am Main, IV, pp. 133-147.

1954   U. Baldini, *Restauri di dipinti fiorentini*, in "Bollettino d'Arte", XXXIX, pp. 221-240.

E. Carli, *Tutta la pittura di Paolo Uccello*, Milano.

Mostra di quattro maestri del primo Rinascimento (catalogo), Firenze.

1955   G. Marchini, *Le vetrate italiane*, Milano.

1957   G. Marchini, *Il Duomo di Prato*, Prato.

Mostra di affreschi staccati (catalogo), Firenze.

A. Fortuna, *Andrea del Castagno*, Firenze.

A. Parronchi, *Le fonti di Paolo Uccello. I 'perspettivi passati'. I 'filosofi'*, in "Paragone", VIII, n. 89, pp. 3-22.

E. Sindona, *Paolo Uccello*, Milano.

J. White, *The birt and rebirt of pictorical space*, London.

1958   D. Gioseffi, *Complementi di prospettiva. 2.*, in "Critica d'Arte", XXV-XXVI, pp. 102-149.

1959   W. Cohn, *Maestri sconosciuti del Quattrocento fiorentino. Stefano d'Antonio*, in "Bollettino d'Arte", XLIV, pp. 61-68.

M. Davies, *Uccello's Saint George in London*, in "The Burlington Magazine", CI, vol. II, pp. 309-314.

A. Schmitt, *Paolo Uccellos Entwürf für das Reiterbild des Hawkwood*, in "Mitteilungen K.I.F.", VIII, pp. 125-30.

1960   *The Samuel Kress Memorial collection of the Allentown Art Museum* (catalogo), Allentown, Pennsylvania.

U. Procacci, *Sinopie e affreschi*, Milano.

1961   L. Berti, *Una nuova Madonna e degli appunti su un grande Maestro*, in "Pantheon", XIX, p. 298-309.

M. Davies, *The Earlier Italian Schools* (catalogo Londra, National Gallery, 2° ed.), London, pp. 525-531.

A. Parronchi, *Paolo o Piero?* in "Arte Antica e Moderna", IV, pp. 138-147.

1962   F. Hartt-G. Corti, *New documents concerning Donatello, Luca and Andrea della Robbia, Desiderio, Mino, Uccello, Pollaiolo, Filippo Lippi, Baldovinetti and others*, in "The Art Bulletin", XLIV, pp. 155-167.

1963   G. Marchini, *Il tesoro del Duomo di Prato*, Milano.

A. Parronchi, *Paolo Uccello*, in *Enciclopedia Universale dell'Arte*, vol. X, Venezia-Roma, pp. 463-471 (con bibliografia).

1964   P. Hendy, *Some Italian Renaissance -pictures in the Thyssen Bornemisza collection*, Zurich.

H. Saalmann, *Paolo Uccello at San Miniato*, in "The Burlington Magazine", CVI, pp. 558-563.

1965   A. Parronchi, *Due note para-uccellesche*, in "Arte Antica e Moderna" VII, pp. 169.

1966   J. Lauts, *Katalog Alter Meister*, Karlsruhe.

1967   M. Aronberg-Lavin, *The Altar of Corpus Domini in Urbino: Paolo Uccello, Joos van Ghent, Piero della Francesca*, in "The Art Bulletin", XLIX, I, pp. 1-25.

1968   B. Degenhart-A. Schmitt, *Corpus der Italienischen Zeichnungen 1300-1450*, Berlin.

1969   A. Parronchi, *Probabili aggiunte a Dello Delli scultore*, in "Cronache di Archeologia e Storia dell'Arte", VIII, pp. 103-110.

G. Marchini, in *Due secoli di pittura murale a Prato* (catalogo), Prato, pp. 51-130.

J. Pope Hennessy, *Paolo Uccello*, London-New York.

1970   L. Boccia, *Le armature di Paolo Uccello*, in "L'Arte", n. 11-12, pp. 55-91.

M. Boskovits, *Due secoli di pittura murale. Aggiunte e precisazioni*, in "Arte illustrata", pp. 32-47.

M. Meiss, in *The Great Age of Fresco* (catalogo), New York, p. 123.

E. Sindona, *Una conferma uccellesca*, in "L'Arte", III, pp. 67-107.

1971   U. Procacci, *Paolo Uccello*, in *Affreschi da Firenze* (catalogo) Firenze, n. 33.

L. Tongiorgi Tomasi, in E. Flaiano- L. Tongiorgi Tomasi, *L'opera completa di Paolo Uccello*, Milano.

1972   B. Fredericksen, *Catalogue of Paintings in the J. Paul Getty Museum*, Malibu.

R.L. Mode, *Masolino, Uccello and the Orsini 'Uomini Famosi'*, in "The Burlington Magazine", CXIV, I, pp. 369-378.

E. Sindona, *Introduzione alla poetica di Paolo Uccello*, in "L'Arte", XVII, pp. 7-100.

1973   L. Bellosi, *Due note per la pittura fiorentina del secondo Trecento*, in "Mitteilungen K.I.F.", XVII, pp. 179-194.

C. Randall Mack, *The Building Programme of the Cloister San Miniato*, in "The Burlington Magazine", CXV, pp. 447-452.

1974   L. Collobi Ragghianti, *Il 'Libro dei Disegni' del Vasari*, Firenze.

C. Joost Gaugier, *Uccello's "uccello": a visual signature*, in "Gazette des Beaux Arts", ottobre, pp. 233-238.

A. Parronchi, *Paolo Uccello*, Bologna (con bibliografia).

1975   M. Boskovits, *Pittura fiorentina alla vigilia del Rinascimento*, Firenze.

158

R. Fremantle, *Florentine Gothic Painters*, London.

S. Meloni, *Vicende ignorate della 'Battaglia di San Romano'*, in "Paragone", XXVI, n 309, pp. 108-111.

1976 F. Sangiorgi, *Documenti urbinati. Inventari di Palazzo Ducale (1582-1631)*, Urbino.

1977 M. Salmi, *Per Paolo Uccello*, in "Studies in Medieval and Renaissance Painting in honor of Millard Meiss", New York, pp. 373-376.

C. Lloyd, *A Catalogue of the Earlier Italian Paintings in the Ashmolean Museum*, Oxford.

1978 G. Griffiths, *The political significance of Uccello's Battle of San Romano*, in "Journal of the Warburg and Courtauld Institute", XLI, pp. 313-316.

G. Nunziati, in *Lorenzo Ghiberti. Materia e ragionamenti* (catalogo), Firenze, p. 84.

D. Reggioli, *Paolo Uccello*, in *Lorenzo Ghiberti. Materia e Ragionamenti* (catalogo), Firenze, pp. 101-103.

1979 L. Bellosi, *Paolo Uccello*, in *Gli Uffizi. Catalogo generale*, Firenze.

J. Beck, *Paolo Uccello and the Paris St. George, 1465. Unpublished documents 1452, 1465, 1474*, in "Gazette des Beaux Arts", XCIII, pp. 1-5.

P.A. Rossi, *Il calice di Paolo Uccello*, in "La Critica d'Arte", XLIV, fasc. 166-168, pp. 35-46.

S. Skerl Del Conte, *Una tesi di laurea sul Maestro del 1419 e Paolo Uccello*, in "Arte in Friuli. Arte a Trieste", 3, pp. 175-184.

1980 J. Beck, *Uccello's apprenticeship with Ghiberti*, in "The Burlington Magazine", CXXII p. 837.

C. Volpe, *Paolo Uccello a Bologna*, in "Paragone", XXX, n. 365, pp. 3-28.

1981 M.L. Cristiani Testi, *Panoramica a volo d'Uccello. La 'Battaglia di San Romano'*, in "Critica d'Arte", XLVI, fasc. 175-177, pp. 3-47.

A. Parronchi, *Paolo Uccello "segnalato" "per la prospettiva e gli animali*, in "Michelangiolo", X, fasc. 34, pp. 25-36.

A. Parronchi, in AA.VV., *Santa Maria Novella*, Firenze.

1982 G. Bonsanti, in AA.VV., *La città degli Uffizi*, Firenze.

E. Borsook, *L'Awkwood d'Uccello et la vie de Fabius Maximus de Plutarque: évolution d'un projet de cénotaphe*, in "Revue de l'Art", LV, pp. 44-51.

E.M.L. Wakayama, *Per la datazione delle Storie di Noè di Paolo Uccello: un'ipotesi d' lettura*, in "Arte Lombarda", n.s., n. 61, pp. 93-106.

1983 C. Del Bravo, *Cosimo il Vecchio, Lorenzo e alcuni dipinti*, in *Gli Uffizi. Quattro secol. di una Galleria*, Firenze, I, pp. 201-206.

R. Lunardi, *Arte e Storia in Santa Maria Novella*, Firenze.

A. Padoa Rizzo, *La predella di Paolo Uccello*, in *Urbino e le Marche prima e dopo Raffaello* (catalogo), Firenze, pp. 79-83.

F. Zeri, *Rinascimento e Pseudo-Rinascimento*, in *Storia dell'Arte Italiana*, 5, parte 2° *Dal Medio Evo al Novecento*, vol. I, *Dal Medio Evo al Quattrocento*, Torino, pp. 554-556.

1984 M. Alpatov, *A propos de la comparaison de deux oeuvres de maitre Denis*, in *Scritti di Storia dell'Arte in onore di Roberto Salvini*, Firenze, pp. 325-328.

D. Bernini, *Una "pittura solennissima" per Federico da Montefeltro*, in *Studi in onore di Giulio Carlo Argan*, Roma, I, pp. 127-135.

Y.M. Even, *Artistic collaboration in Florentine Workshops: Quattrocento*, Columbia University.

G. Marchini, *Una meravigliosa avventura tra arte e religiosità*, in "Progress", n. 49/50, pp. 38-43.

F. Scalia-C. De Benedictis, *Il Museo Bardini a Firenze*, Milano.

985   Y. Even, *Paolo Uccello's John Hawkwood: reflections of a collaboration between Agnolo Gaddi and Giuliano Pesello*, in "Sources", IV, 4, pp. 6-8.

J.O'Grady, *An Uccello enigma*, in "Gazette des Beaux Arts", CV, pp. 99-103.

T. Pignatti, *Sarah Campbell Blaffer Foundation. Catalogue*, London.

Il Museo di San Marco. Firenze, Milano.

986   G. Borghero, *Collezione Thyssen-Bornemisza*, Milano.

W. Fontana, *Affreschi di Paolo Uccello nel Palazzo Ducale di Urbino*, in *Federico da Montefeltro. Le Arti*, Roma, pp. 131-151.

A. Petrioli Tofani, *Inventario del Gabinetto Disegni e Stampe degli Uffizi*, Firenze.

P.A. Rossi, *La Madonna di Dublino*, in "Critica d'Arte", LI, s. IV, n. II, pp. 40-50.

987   AA.VV. *La chiesa di Santa Trinita a Firenze*, Firenze.

J. Pope Hennessy, *The Robert Lehman collection. I. Italian Paintings*, Princeton.

988   A. Bernacchioni, *Domenico di Francesco pittore detto "di Michelino"*, Tesi di Laurea, Facoltà di Lettere e Filosofia; Università di Firenze, 2 voll., anno accademico 1987-88.

L. Berti, *Masaccio*, Firenze.

L. Berti, *La Basilica di San Miniato al Monte a Firenze*, Firenze.

Ausgewählte Werke der Staatlichen Kunsthalle Karlsruhe. Band I. 150 Gemälde von mittelalter bis zur gegenwart, Karlsruhe.

989   D. Bernini, *Tracce di Paolo Uccello nel palazzo ducale di Urbino*, relazione presentata al "Convegno Internazionale di Studi di Storia dell'Arte nel centenario della nascita di Mario Salmi", Arezzo-Firenze, novembre (in corso di stampa negli 'Atti').

P. Joannides, *Paolo Uccello's 'Routh of San Romano': a new observation*, in "The Burlington Magazine", CXXXI, pp. 214-215.

E. Marino, *Il 'Diluvio' di Paolo Uccello nel Chiostro Verde di Santa Maria Novella e i suoi rapporti (possibili) con il Concilio di Firenze*, relazione presentata al convegno "Firenze e il Concilio del 1439", Firenze 29 novembre-3 dicembre.

P. Ruschi, in *Omaggio a Donatello* (catalogo), Firenze.

990   L. Bellosi, *Pittura di luce* (catalogo), Milano.

L. Berti-A. Paolucci, *L'Età di Masaccio* (catalogo), Milano.

C. Del Bravo, *Primo Quattrocento*, in "Artista", I, pp. 152-163.

A. Malquori, *Paolo Uccello*, in L. Dal Pra', *Bernardo di Chiaravalle nell'arte italiana* (catalogo), Milano.

A. Padoa Rizzo, recensione alla mostra *'L'Età di Masaccio'*, in 'Antichità Viva", XXIX, n. 5 pp. 56-59.